你说呀！

Nǐ shuō ya ! | **Méthode de chinois** | Cahier d'activités 1

Sous la coordination de :
Claude Lamouroux
Professeur de chinois
Académie de Paris

Arnaud Arslangul
Maître de conférences, INALCO

Jin Yezhi
Professeur de chinois
Collège Notre-Dame-de-la-Gare, Paris

Isabelle Pillet
Professeur de chinois
Chargée de mission d'inspection pédagogique régionale

D1473338

Remerciements à notre partenaire
l'École des Langues Étrangères de Jinan
济南外国语学校

Références des images

couv		Andy Brandl/GettyImages
27		thingamajiggs - Fotolia.com
39		Lotfi Mattou - Fotolia.com
71		Matthew Cole - Fotolia.com
111	1 et 3	Serj Siz`kov - Fotolia.com
111	2 et 4	ddraw - Fotolia.com
111	5	itomeg - Fotolia.com

Nous adressons nos plus sincères remerciements à : CAO Lu, la famille CHEN de Jinan, HUANG Yuqi, JIN Yezhi, LIU Yizhou, LUO Limin, Pauline Martin, QIN Zitong, SHU Huazhong, SUN Qun, SUN Yuming, TAO Ruifeng, WANG Ling, WANG Ningyu, WU Yuhan, YAN Tonglin, ZHANG Yu, ZHAO Longzhen et l'École des Langues Etrangères de Jinan pour leurs photos.

Responsable d'édition : Anke Feuchter
Edition : Evelyne Doan
Iconographie : Aurélia Galicher

Conception graphique couverture et intérieur : Joëlle Parreau, Julie Dalle-Ave

Mise en page, photogravure : Jouve

Illustrations :
Liu Bing : 18, 64, 78
Song Xiaojun : 10, 22-23, 30, 40, 55-56, 62, 102-103, 112
Tan Xin : 7

© Les Édition Didier, Paris 2016 – ISBN 978-2-278-08396-1

Achevé d'imprimer en France - février 2018
Jouve 1, rue du docteur Sauvé, 53100 Mayenne
N° 2677115P - Dépôt légal : 8396/04

éditions didier s'engagent pour l'environnement en réduisant l'empreinte carbone de leurs livres. Celle de cet exemplaire est de : 600 g éq. CO$_2$ Rendez-vous sur www.editionsdidier-durable.fr

PAPIER À BASE DE FIBRES CERTIFIÉES

Sommaire

INTRODUCTION À L'ÉCRITURE CHINOISE

Les caractères chinois proviennent de très anciens dessins ou représentations en lien avec la nature ou des situations concrètes de la vie quotidienne. Avec le temps et les transformations graphiques, ils sont devenus des signes dont la graphie s'est parfois fortement éloignée de leur forme originelle. Connaître un caractère, c'est savoir l'identifier, connaître sa ou ses signification(s), savoir le prononcer et savoir l'écrire.

L'ordre et l'orientation des traits

Les traits de chaque caractère se tracent dans un ordre et dans un sens bien précis qu'il faut respecter. Écrire le chinois, c'est aussi mémoriser les mouvements de la main qui correspondent à l'ordre et à l'orientation des traits de chaque caractère.

Voici les 8 traits de base qui constituent les caractères chinois :

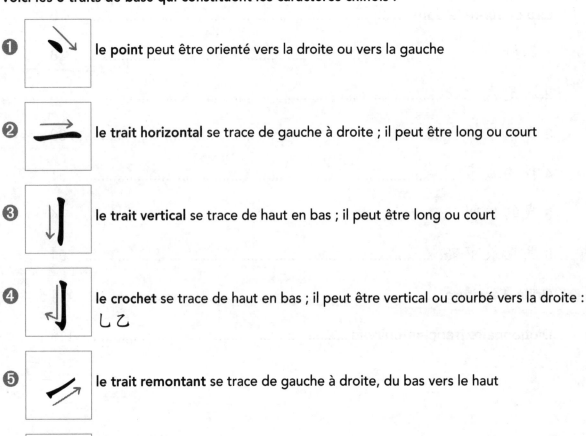

❶ **le point** peut être orienté vers la droite ou vers la gauche

❷ **le trait horizontal** se trace de gauche à droite ; il peut être long ou court

❸ **le trait vertical** se trace de haut en bas ; il peut être long ou court

❹ **le crochet** se trace de haut en bas ; il peut être vertical ou courbé vers la droite :
ㄴ ㄹ

❺ **le trait remontant** se trace de gauche à droite, du bas vers le haut

❻ **le trait descendant gauche** se trace de droite à gauche ; il peut être plus ou moins vertical

❼ **le trait descendant droit** se trace de gauche à droite

❽ **le trait brisé** est un crochet qui se trace de gauche à droite ; l'angle peut être en haut ou en bas

Voici les règles de base qui s'appliquent à l'ordre des traits :

1	l'horizontal puis le vertical	十 十
2	le trait orienté vers la gauche puis celui orienté vers la droite	人 人
3	du haut vers le bas	三 三 三
4	l'élément de gauche puis celui de droite	明 明
5	le trait central puis celui de gauche et enfin celui de droite	小 小 小
6	les trois côtés extérieurs puis l'intérieur, et enfin la fermeture du cadre par le bas	因 因 因
7	le trait horizontal du bas en dernier	王 王
8	le point en haut à droite en dernier	书 书

La grille d'écriture

Dans la grille d'écriture, chaque caractère est écrit en entier dans la première case, suivi de sa prononciation, puis décomposé trait par trait dans l'ordre qui convient. Chaque trait est accompagné d'une flèche qui indique la direction du tracé.

Pour bien utiliser cette grille, écrivez sur les caractères en grisé de la première ligne, puis reproduisez le caractère en entier sur la deuxième ligne. Prononcez-le toujours à voix haute lorsque vous tracez le dernier trait.

> Une case remplie = un caractère écrit
> = une syllabe prononcée

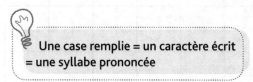

四	sì	四	四	四	四	四	四	四	四	四	四	四
quatre												

➤ Une grille d'écriture vide à photocopier est proposée à la fin du cahier.

Atelier d'écriture

Avant de commencer, consultez
l'*Introduction à l'écriture chinoise* p. 4.

1 En respectant l'ordre et le sens des traits, écrivez sur les caractères en grisé, puis complétez la deuxième ligne en prononçant le caractère à voix haute.

一	yī	一	一	一	一	一	一	一	一	一	一
un											
二	èr	二	二	二	二	二	二	二	二	二	二
deux											
三	sān	三	三	三	三	三	三	三	三	三	三
trois											
四	sì	四	四	四	四	四	四	四	四	四	四
quatre											
五	wǔ	五	五	五	五	五	五	五	五	五	五
cinq											
六	liù	六	六	六	六	六	六	六	六	六	六
six											
七	qī	七	七	七	七	七	七	七	七	七	七
sept											
八	bā	八	八	八	八	八	八	八	八	八	八
huit											
九	jiǔ	九	九	九	九	九	九	九	九	九	九
neuf											

十	shí	十	十	十	十	十	十	十	十	十	十
dix											

2 Donnez le nombre de traits de 四 et 五 : _____ traits _____ traits

3 Étudiez l'origine des caractères pour mieux les retenir.

Certains caractères sont des pictogrammes : leur forme ressemble au dessin d'origine.

graphie		explications	signification
月		représente un croissant de lune	mois, lune
日		représente un halo de lumière autour d'un point symbolisant le soleil	jour, soleil

4 En respectant l'ordre et le sens des traits, écrivez sur les caractères en grisé puis complétez la deuxième ligne en prononçant le caractère à voix haute lorsque vous tracez son dernier trait.

月	yuè	月	月	月	月	月	月	月	月	月	月
mois, lune											
日	rì	日	日	日	日	日	日	日	日	日	日
jour, soleil											

5 Écrivez les dates dictées en respectant l'ordre et le sens des traits.

6 Écrivez les dates suivantes en chinois :

– le 5 mars

– le 18 septembre

Atelier d'écriture

1 Étudiez les éléments composants des caractères pour mieux les retenir.

Les caractères chinois sont constitués d'un ou de plusieurs composants graphiques. Certains composants donnent une indication sur la signification du caractère et peuvent servir de clé pour le classement dans le dictionnaire. D'autres composants, appelés éléments phonétiques (él. phon.), fournissent une indication plus ou moins proche sur leur prononciation. Certains caractères sont des pictogrammes : leur forme ressemble au dessin d'origine.

graphie	pinyin	éléments composants et explications	signification
你	nǐ	亻 clé de l'homme + 尔 tu	tu, toi
们	men	亻 clé de l'homme + 门 mén, él. phon.	*pluriel des pronoms personnels*
好	hǎo	女 clé de la femme + 子 l'enfant	bon, bien
学	xué	les mains d'un professeur + 子 clé de l'enfant	apprendre
上	shàng	pictogramme : un symbole au-dessus d'une ligne	sur, dessus ; monter
下	xià	pictogramme : un symbole au-dessous d'une ligne	sous, dessous ; descendre

2 Écrivez chaque caractère en respectant l'ordre et le sens des traits indiqués dans la grille d'écriture. Écrivez sur les caractères en grisé, puis complétez la deuxième ligne en prononçant le caractère à voix haute à chaque fois que vous tracez le dernier trait.

 Avant de commencer, consultez l'*Introduction à l'écriture chinoise* p. 4-5.

你 nǐ	你	你	你	你	你	你	你	你	你	你
tu, toi										
们 men	们	们	们	们	们	们	们	们	们	们
pluriel des pronoms personnels										
好 hǎo	好	好	好	好	好	好	好	好	好	好
bien										

学	xué	学	学	学	学	学	学	学	学	学	学
apprendre											
上	shàng	上	上	上	上	上	上	上	上	上	上
sur, dessus ; monter											
下	xià	下	下	下	下	下	下	下	下	下	下
sous, dessous ; descendre											

3 Dans ce caractère, entourez le premier trait et le dernier trait :

王

4 Observez le premier trait de chaque caractère et trouvez l'intrus. Entourez-le, puis expliquez votre choix.

们　他　上　么　你

Je connais le vocabulaire　　manuel p. 20

Lorsque vous ne connaissez pas un caractère, écrivez-le en pinyin.

5 Classez les expressions que vous avez apprises dans la colonne qui convient.

Saluer	Prendre congé

6 Citez en pinyin les mots que vous connaissez comportant les caractères ci-dessous, puis donnez leur sens en français :

上 : [|] signifie ....

下 : [|] signifie ....

🎧 Phonétique et pinyin

7 Écoutez l'enregistrement et notez le ton au-dessus de chaque caractère :

好	下	学	她	们

8 Complétez en pinyin le son que vous entendez.

1. ....ǐ............en............ǎo

2. T............ ....ǎoshī

3. ....ài............iàn

4. qǐng ....uò

9 Notez le ton que vous entendez sur chaque syllabe, puis trouvez celle qui correspond au sens appris.

1. hao   hao   hao   → bien : ....

2. xue   xue   xue   → apprendre : ....

3. ni   ni   ni   → tu : ....

4. shang   shang   shang   → sur : ....

Atelier d'écriture

1 Étudiez les éléments composants des caractères pour mieux les retenir.

graphie	pinyin	éléments composants et explications	signification
叫	jiào	口 clé de la bouche + 丩 le souffle	appeler, s'appeler
什	shén	亻 clé de l'homme + 十 dix	cf. 什么
么	me	trait descendant gauche 丿 + 厶 privé	cf. 什么
他	tā	亻 clé de l'homme + 也	il, lui
她	tā	女 clé de la femme + 也	elle, lui
也	yě	pictogramme	aussi

2 En respectant l'ordre et le sens des traits, écrivez sur les caractères en grisé, puis complétez la deuxième ligne en prononçant le caractère à voix haute.

叫	jiào	叫	叫	叫	叫	叫	叫	叫	叫	叫	叫	叫
appeler, s'appeler												
什	shén	什	什	什	什	什	什	什	什	什	什	什
cf. 什么												
么	me	么	么	么	么	么	么	么	么	么	么	么
cf. 什么												
他	tā	他	他	他	他	他	他	他	他	他	他	他
il, lui												
她	tā	她	她	她	她	她	她	她	她	她	她	她
elle, lui												
也	yě	也	也	也	也	也	也	也	也	也	也	也
aussi												

3 Lorsque 人 est la clé d'un caractère, il change généralement de forme et se place à gauche. Écrivez de mémoire les caractères appris dont il est la clé.

4 Retrouvez les 4 clés apprises dans cette leçon et les caractères dans lesquels elles apparaissent.

Nom de la clé	graphie	Caractère(s) comportant cette clé
femme		
enfant		
bouche		
homme		

5 Appuyez-vous sur le pinyin pour compléter les phrases suivantes avec les caractères qui conviennent.

→ Tóngxuémen hǎo ! Shàngkè !

同			!		课	!

→ Nǐ jiào shénme ?

On écrit un seul caractère / une seule syllabe en pinyin par case.

Je connais le vocabulaire

manuel p. 20

6 Écrivez les mots que vous avez appris ayant trait au nom de famille et au prénom, en caractères ou en pinyin.

7 Écrivez les mots que vous avez appris comportant le caractère 们.

8 Écrivez en caractères les mots suivants :

a. apprendre ☐

c. quoi ? ☐☐

e. monter, sur ☐

b. bien ☐

d. tu ☐

f. aussi ☐

Je m'entraîne en grammaire

nuel p. 21

9 Écrivez les mots suivants dans la colonne qui convient.

他们，叫，上，我，姓，你
xìng

pronoms personnels	verbes

10 Mettez les caractères dans l'ordre afin de former une phrase correcte en ajoutant la ponctuation qui convient.

a. 什么，叫，她

☐☐☐☐☐

b. 王，他，姓
Wáng   xìng

☐☐☐☐

Un signe de ponctuation chinois = une case remplie

c. 王欢，叫，她
Wáng Huān

☐☐☐☐

13

第一课

11 Complétez les phrases suivantes avec les mots qui conviennent.

a. | 你 | 叫 | | | ? |

b. | | | Vincent | | 。 |

c. | | 姓 xìng | | | ? |

d. | | 姓 | 王 Wáng | 。 |

e. | | 叫 | Claire | 。 |

f. | | | 叫 | Cécile et Philippe | 。 |

> Le verbe 姓 est uniquement utilisé avec le nom de famille. Le verbe 叫 peut introduire le nom suivi du prénom, ou le prénom seul lorsqu'il compte deux syllabes.

Je m'entraîne à la compréhension de l'écrit

12 Reliez chaque phrase en chinois à sa traduction.

1. 你姓什么？
   xìng
   •   • a. Mon nom de famille est Wang.

2. 我姓王。
   xìng Wáng
   •   • b. Comment s'appelle-t-il ?

3. 她叫什么名字？
   míngzi
   •   • c. Quel est son prénom ?

4. 他叫什么？
   •   • d. Quel est ton nom de famille ?

Phonétique et pinyin

13 Complétez en pinyin le son que vous entendez.

1. ....ā...........ìng Wáng

2. m...........zi jiào ....iǎobèi

14 Notez le ton que vous entendez sur chaque syllabe, puis trouvez celle qui correspond au sens appris.

1.	ta	ta	ta	→ il/elle : ....
2.	tian	tian	tian	→ nom de famille : ....
3.	xing	xing	xing	→ se nommer : ....
4.	jiao	jiao	jiao	→ s'appeler : ....

Testons-nous manuel p. 24   fiche de réponse

 Écoutez et reliez chaque échange à la photo qui convient. CD 14

1

2

3

dialogue ....   dialogue ....   dialogue ....

 Trouvez l'expression qui convient et reliez les deux colonnes.

Pour...   je dis :

❶ dire bonjour à une personne   ⓐ 你们好！

❷ dire bonjour à plusieurs personnes   ⓑ 她们叫……

❸ demander son nom à quelqu'un   ⓒ 你好！

❹ présenter un ami   ⓓ 你叫什么？

❺ présenter des amies   ⓔ 他叫……

Complétez les phrases d'après les étiquettes qui accompagnent les portraits.

田小贝

		田 Tián	小 Xiǎo	贝 bèi	。

张子文

姓 xìng	张 Zhāng	，		子 Zǐ	文 wén	。

方一

		方 Fāng		。

Atelier d'écriture

1 Étudiez les éléments composants des caractères pour mieux les retenir.

graphie	pinyin	éléments composants et explications	signification
多	duō	idéogramme : deux portions de viande	nombreux ; combien ?
大	dà	un homme 人 les bras ouverts	grand
岁	suì	山 la montagne + 夕 la demi-lune	année d'âge
我	wǒ	ノ+扌 la main + 戈 clé de la hallebarde	je, moi
是	shì	日 le soleil + 疋 droit, juste	être
名	míng	夕 la demi-lune + 口 la bouche	nom, prénom
谁	shéi	讠 clé de la parole + 隹	qui ?
王	wáng	pictogramme : une hache, symbole du pouvoir	roi ; *nom de famille*
子	zǐ	pictogramme : l'enfant	enfant

2 Écrivez chaque caractère en respectant l'ordre et le sens des traits indiqués dans la grille d'écriture. Écrivez sur les caractères en grisé, puis complétez la deuxième ligne en prononçant le caractère à voix haute à chaque fois que vous tracez le dernier trait.

 Avant de commencer, consultez l'*Introduction à l'écriture chinoise* p. 4-5.

多 duō	多	多	多	多	多	多	多	多	多	多	多
nombreux ; combien ?											
大 dà	大	大	大	大	大	大	大	大	大	大	大
grand											
岁 suì	岁	岁	岁	岁	岁	岁	岁	岁	岁	岁	岁
année d'âge											

我 wǒ	我	我	我	我	我	我	我	我	我	我
je, moi										
是 shì	是	是	是	是	是	是	是	是	是	是
être										
名 míng	名	名	名	名	名	名	名	名	名	名
nom, prénom										
谁 shéi	谁	谁	谁	谁	谁	谁	谁	谁	谁	谁
qui ?										
王 wáng	王	王	王	王	王	王	王	王	王	王
roi ; *nom de famille*										
子 zǐ	子	子	子	子	子	子	子	子	子	子
enfant										

3 De mémoire, tracez les caractères que vous connaissez commençant par un trait ou un point descendant vers la gauche.

J'écris sous la dictée

4 Écrivez les phrases dictées en caractères.

		!				?
		?				∘

Même sous la dictée, pensez à respecter l'ordre et le sens des traits.

5 Notez le chiffre correspondant au geste de la main en caractères et en pinyin.

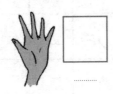 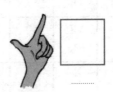

6 Complétez les suites de nombres.

a. 五十八, 五十九, ☐☐   六十一, 六十二, 六十三,

☐☐☐ , 六十五。

b. 九十四, 九十五, 九十六, ☐☐☐ , ☐☐☐ , 九十九。

7 Donnez le résultat de chaque calcul en caractères.

a. 四 + 五 = ☐☐☐   e. 十一 - 九 = ☐☐☐

b. 十五 + 六 = ☐☐☐   f. 五十九 - 十九 = ☐☐☐

c. 四十六 + 三 = ☐☐☐   g. 十六 - 四 = ☐☐☐

d. 六十二 + 二十一 =   h. 八十六 - 四十三 =

☐☐☐   ☐☐☐

8 Écrivez les mots ou expressions que vous avez appris
se rapportant à l'âge.

☐ ☐☐

> Lorsque vous ne connaissez pas un caractère, écrivez-le en pinyin.

Je m'entraîne à la compréhension de l'écrit

9 Numérotez les chiffres suivants dans l'ordre décroissant.

☐ 五十二   ☐ 八十九   ☐ 二十一   ☐ 三十四   ☐ 七

☐ 十六   ☐ 四十八   ☐ 十二   ☐ 八十七   ☐ 七十三

10 Reliez chaque nombre en chinois à son équivalent en chiffres arabes.

1. 四十六 •
2. 三十八 •
3. 六十二 •
4. 八十七 •
5. 九十三 •
6. 十五 •

• a. 93
• b. 46
• c. 38
• d. 15
• e. 87
• f. 62

11 Reliez chaque question à la réponse qui convient.

1. 你叫什么名字？ •
     zì
2. 他多大？ •
3. 她是谁？ •
4. 你姓什么？ •

• a. 他十七岁。
• b. 她是我同学。
          tóng
• c. 我姓方。
     xìng Fāng
• d. 我叫云云。
     Yúnyun

Phonétique et pinyin

12 Complétez en pinyin le son que vous entendez.

1. sh........y

2. l........sh

3. s........sh........'

4. ....sh........j

13 Notez le ton que vous entendez sur chaque syllabe, puis trouvez la prononciation du caractère que vous avez appris dans la leçon.

1. duo   duo   duo   ➔ 多 : ....

2. da   da   da   ➔ 大 : ....

3. sui   sui   sui   ➔ 岁 : ....

4. wo   wo   wo   ➔ 我 : ....

En 1958, la simplification de l'écriture du chinois en République populaire de Chine (elle n'a pas eu lieu à Taiwan ni à Hong-Kong) a abouti à la réduction du nombre de traits de nombreux caractères.

Pour les deux caractères 书 et 东 présentés ci-dessous, l'explication de leur sens est plus simple à partir de leur forme traditionnelle : 書 et 東. C'est le cas pour une partie des caractères simplifiés.

Atelier d'écriture

1 Étudiez les éléments composants des caractères pour mieux les retenir.

graphie	pinyin	éléments composants et explications	signification
喜	xǐ	un tambour au-dessus de 口 la bouche	joie, bonheur
欢	huān	又 clé de la main droite + 欠 l'homme bouche ouverte	joie
不	bù	pictogramme	*négation*
看	kàn	手 une main au-dessus de 目 l'œil	regarder
书	shū	書 : une main tenant un pinceau en train d'écrire	livre
电	diàn	乚 un éclair tombant dans le ciel	électricité
打	dǎ	扌 clé de la main et 丁 un clou	battre, donner un coup
东	dōng	東 : 日 le soleil se levant derrière 木 un arbre	est
西	xī	un oiseau regagnant son nid (lorsque le soleil se couche à l'ouest)	ouest
可	kě	口 clé de la bouche + 丁	pouvoir
吗	ma	口 clé de la bouche + 马 mǎ, él. phon.	*particule interrogative*

2 En respectant l'ordre et le sens des traits, écrivez sur les caractères en grisé, puis complétez la deuxième ligne en prononçant le caractère à voix haute lorsque vous tracez son dernier trait.

喜	xǐ	喜	喜	喜	喜	喜	喜	喜	喜	喜	喜	喜	喜
joie, bonheur													
欢	huān	欢	欢	欢	欢	欢	欢	欢	欢	欢	欢	欢	欢
joie													
不	bù	不	不	不	不	不	不	不	不	不	不	不	不
négation													

20 •

看	kàn	看	看	看	看	看	看	看	看	看	看	看
regarder												
书	shū	书	书	书	书	书	书	书	书	书	书	书
livre												
电	diàn	电	电	电	电	电	电	电	电	电	电	电
électricité												
打	dǎ	打	打	打	打	打	打	打	打	打	打	打
battre, donner un coup												
东	dōng	东	东	东	东	东	东	东	东	东	东	东
est												
西	xī	西	西	西	西	西	西	西	西	西	西	西
ouest												
可	kě	可	可	可	可	可	可	可	可	可	可	可
pouvoir												
吗	ma	吗	吗	吗	吗	吗	吗	吗	吗	吗	吗	吗
particule interrogative												

3 Parmi les caractères ci-dessous, entourez celui qui a le moins de traits et celui qui en a le plus. Notez ensuite le nombre de traits de chacun.

你	王	上	我	什	们	她	好	看	吗

Nombre
de traits : _____

4 Écrivez les expressions que vous connaissez sur le thème des loisirs.

5 Citez les mots ou les expressions que vous connaissez qui commencent par les caractères suivants :

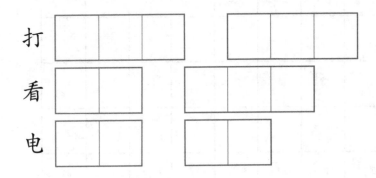

6 Complétez les phrases suivantes avec le mot interrogatif qui convient.

a. | 你 | 叫 | | | ？ |

b. | 他 | | 大 | ？ |

c. | 你 | 姓 (xìng) | | | ？ |

d.

| 你 | 喜 | 欢 | 做 zuò | | | ？ |

e.

| 你 | 喜 | 欢 | 看 | 电 | 视 shì | | ？ |

f.

| 他 | 是 | | ？ |

g.

| 你 | | ？ |

7 Répondez à la question en utilisant 也 ou 不 selon l'information donnée.

1. 你喜欢打篮球吗？
   lánqiú

| | | | | | | | | | |

2. 他喜欢看书，你喜欢吗？

| | | | | | | | | | |

3. 他喜欢上网和玩电脑吗？
   wǎng wán nǎo 上网， 玩电脑

| | | | | | | | | |

4. 你喜欢买东西吗？
   mǎi

| | | | | | | | | | |

Je m'entraîne à la compréhension de l'écrit

8 Reliez la question à la réponse correspondante.

1. 你喜欢打网球吗？ •
   wǎngqiú

2. 你喜欢做什么？ •
   zuò

3. 你喜欢买东西吗？ •
   mǎi

4. 她们是谁？ •

5. 你喜欢看书吗？ •

• a. 她们是我同学。
              tóng

• b. 不喜欢看书。

• c. 我喜欢玩电脑也喜欢打篮球。
         wán nǎo   lán

• d. 我喜欢，可是打得不好。
                    de

• e. 我不喜欢买东西。

• 23

Je m'entraîne à l'expression écrite

9 Écrivez en chinois les phrases suivantes.

a. J'aime jouer à l'ordinateur, et toi ?

b. Il n'aime pas jouer au football.

c. Qu'aime-t-elle faire ?

d. Moi aussi j'aime écouter de la musique.

e. Nous aimons faire des courses et aussi aller sur Internet.

Phonétique et pinyin

10 Complétez en pinyin le son que vous entendez.

1. kàn ....iàn............ì

2. ....ă ....ánqiú

3. kàn............ū

4. ....áng............áng

11 Notez le ton que vous entendez sur chaque syllabe, puis trouvez celle qui correspond au sens appris.

1. ye   ye   ye   ye   → aussi : ....

2. ting   ting   ting   ting   → écouter : ....

3. shu   shu   shu   shu   → livre : ....

4. zuo   zuo   zuo   zuo   → faire : ....

Atelier d'écriture

1 Étudiez les éléments composants des caractères pour mieux les retenir.

graphie	pinyin	éléments composants et explications	signification
这	zhè	文 + 辶 clé de la marche rapide	ceci
家	jiā	idéogramme : 宀 clé du toit + 豕 un cochon	famille
有	yǒu	idéogramme : une main tenant 月 de la viande	avoir
口	kǒu	pictogramme : une bouche ouverte	bouche
人	rén	pictogramme : un homme	homme
妈	mā	女 clé de la femme + 马 mǎ, él. phon.	maman
几	jǐ	pictogramme : une table basse	quelques ; combien
个	gè	pictogramme : une tige de bambou et deux feuilles qui pointent vers le bas	*cl. général*
两	liǎng	pictogramme	deux
没	méi	氵 clé de l'eau + 殳	*négation du verbe avoir ; ne pas avoir*
的	de	白 blanc + 勺 cuiller	*particule de détermination*
女	nǚ	pictogramme	femme

2 En respectant l'ordre et le sens des traits, écrivez sur les caractères en grisé puis complétez la deuxième ligne en prononçant le caractère à voix haute.

这 zhè	这	这	这	这	这	这	这	这	这	这	这
ceci											
家 jiā	家	家	家	家	家	家	家	家	家	家	家
famille											
有 yǒu	有	有	有	有	有	有	有	有	有	有	有
avoir											
口 kǒu	口	口	口	口	口	口	口	口	口	口	口
bouche											

人	rén	人	人	人	人	人	人	人	人	人	人	人
homme												
妈	mā	妈	妈	妈	妈	妈	妈	妈	妈	妈	妈	妈
maman												
几	jǐ	几	几	几	几	几	几	几	几	几	几	几
quelques ; combien												
个	gè	个	个	个	个	个	个	个	个	个	个	个
cl. général												
两	liǎng	两	两	两	两	两	两	两	两	两	两	两
deux												
没	méi	没	没	没	没	没	没	没	没	没	没	没
négation du verbe avoir												
的	de	的	的	的	的	的	的	的	的	的	的	的
particule de détermination												
女	nǚ	女	女	女	女	女	女	女	女	女	女	女
femme												

3 Entourez le premier trait de chaque caractère et notez dessous le nombre de traits de chacun. Attention : vous ne les connaissez pas tous !

| 中 | 往 | 点 | 喜 | 听 | 从 | 明 | 骂 | 奶 | 旧 | 上 | 天 |

🎧 J'écris sous la dictée

4 Écrivez les phrases dictées en caractères.

Même sous la dictée, pensez à respecter l'ordre et le sens des traits.

					,	爸 bà	爸 ba			姐 jiě	姐 jie
和 hé		。						,			很 hěn
		,					。				买 mǎi
		。									

第二课

Je connais le vocabulaire

manuel p. 37

5 Remplissez l'arbre généalogique en utilisant tous les mots que vous connaissez relatifs à la famille.

6 Si nécessaire, réécrivez ces phrases en insérant le classificateur 个 ou 口 au bon endroit.

a. 你家有几人？

b. 她有三哥哥。
    gēge

c. 我没有奶奶。
    nǎinai

d. 我家有五人。

7 Complétez le dialogue avec les caractères qui conviennent.

a. 你 ☐ 姐姐吗？
        jiějie

b. 我 ☐ 有姐姐，你呢？
                    ne

c. 我也 ☐ ☐ 姐姐，我 ☐ 一个妹妹。
                              mèimei

d. 你有 ☐ 个弟弟？
            dìdi

e. 我有两 ☐ 弟弟。

8 Faites des phrases avec 的 à partir des mots donnés, en suivant le modèle : 我的哥哥
叫Arnaud.

a. 她，爸爸   叫Michel。
        bàba

b. 方云云，妈妈　　四十二岁。
　　Fāng Yúnyun

c. 刘东东，姐姐　　喜欢看书。
　　Liú　　jiějie

d. 我，同学　　　　不喜欢买东西。

Je m'entraîne à la compréhension de l'écrit

9 Lisez le texte suivant et répondez aux questions en français.

> 我姓王，我叫王一文。我的爸爸叫王大中，他四十八岁，他喜欢
> 　　　　　　wén　　　　　bàba　　　zhōng
> 打网球。我有一个哥哥，两个妹妹，一个十一岁，一个十三岁。他们
> wǎngqiú　　　　　gēge　　mèimei
> 喜欢买东西，也喜欢上网。我的妈妈叫王芳，她五十岁，她是老师，
> 　　mǎi　　　　　　　　　　Fāng　　　　　　　　lǎoshī
> 她喜欢看书。

a. Quel est le prénom de l'auteur du texte ?

....

b. Combien y a-t-il de personnes dans sa famille et quelles sont-elles ?

....

c. Comment s'appellent-elles ?

....

d. Quel est la profession de sa mère ? Qu'aime-t-elle faire ?

....

e. Quel est l'âge de son père ? Quel sport pratique-t-il ?

....

Je m'entraîne à l'expression écrite

10 Présentez une personne de votre famille ou une personne célèbre en indiquant son nom de famille, son prénom et son âge, s'il/si elle a des frères et sœurs, ce qu'il ou elle aime et ce qu'il/elle n'aime pas faire.

 Laissez toujours deux cases vides au début de la 1ère ligne de chaque paragraphe et ne débutez aucune ligne par un signe de ponctuation.

Phonétique et pinyin

11 Complétez en pinyin le son que vous entendez.

1. ....ē........e

2. ....é........e

3. jǐ g........

4. ....ànshū

12 Entraînez-vous à prononcer les mots suivants, enregistrez-vous, puis écoutez l'enregistrement-réponse pour vérifier votre prononciation.

一, 二, 三, 四, 五, 六, 七, 八, 九, 十,

看电视, 看书, 常常, 不常, 哥哥, 爷爷, 姐姐
　　shì　　　　 cháng　　　　gēge　yéye　jiějie

第二课

👂 **Écoutez les numéros de téléphone, notez-les à côté de chaque nom, et retrouvez celui de chaque personne.** 🎧 CD 28

王子文 : ....
　wén

马云 : ....
Mǎ Yún

东名 : ....

王子文

18902457869
18902458769
18902087546

马云

01068753962
01068735296
01068735246

东名

13585936734
13585739624
13585936737

✏️ **Présentez votre famille en précisant le nom, l'âge et les goûts de chaque membre.**

Atelier d'écriture

1 Étudiez les éléments composants des caractères pour mieux les retenir.

graphie	pinyin	éléments composants et explications	signification
吃	chī	口 clé de la bouche + 乞	manger
饭	fàn	饣 clé de la nourriture + 反 fǎn, él. phon.	riz cuit, nourriture
做	zuò	亻 clé de l'homme + 古 + 攵 une main tenant un bâton	faire
中	zhōng	pictogramme	milieu ; Chine
午	wǔ	pictogramme	midi
早	zǎo	日 clé du soleil + 十 dix	tôt
晚	wǎn	日 clé du soleil + 免	tard
以	yǐ	deux traits + 人 l'homme	grâce à
后	hòu	3 traits + 口 la bouche	après, derrière
都	dōu	耂 + 日 le soleil + 阝 clé de la ville	tout, tous
起	qǐ	走 clé de la marche + 己	se lever

2 En respectant l'ordre et le sens des traits, écrivez sur les caractères en grisé puis complétez la deuxième ligne en prononçant le caractère à voix haute.

 Avant de commencer, consultez l'*Introduction à l'écriture chinoise* p. 4-5.

吃 chī	吃	吃	吃	吃	吃	吃	吃	吃	吃	吃
manger										
饭 fàn	饭	饭	饭	饭	饭	饭	饭	饭	饭	饭
riz cuit, nourriture										
做 zuò	做	做	做	做	做	做	做	做	做	做
faire										

Atelier d'écriture

1 Étudiez les éléments composants des caractères pour mieux les retenir.

graphie	pinyin	éléments composants et explications	signification
点	diǎn	占 + 灬 clé du feu	heure
分	fēn	八 clé du chiffre huit + 刀 le couteau	minute ; diviser
半	bàn	八 + 牛 : découper un bœuf	moitié
今	jīn	人 clé de l'homme	actuel ; aujourd'hui
天	tiān	大 et 一 figurant le ciel	ciel, jour
明	míng	idéogramme : 日 le soleil + 月 la lune	clair ; clarté
星	xīng	日 clé du soleil + 生 naître	étoile
期	qī	其 qí, él. phon. + 月 clé de la lune	période
时	shí	日 clé du soleil + 寸	temps
候	hòu	亻 clé de l'homme + trois traits + 矢	moment
完	wán	宀 clé du toit + 元	finir de
了	le	pictogramme	*particule finale/verbale*

2 En respectant l'ordre et le sens des traits, écrivez sur les caractères en grisé puis complétez la deuxième ligne en prononçant le caractère à voix haute. Attention : les composants déjà appris ne sont pas toujours décomposés à nouveau. À vous de les écrire correctement.

点	diǎn	点	点	点	点	点	点	点	点	点	点	点
heure												
分	fēn	分	分	分	分	分	分	分	分	分	分	分
minute ; diviser												
半	bàn	半	半	半	半	半	半	半	半	半	半	半
moitié												
今	jīn	今	今	今	今	今	今	今	今	今	今	今
actuel ; aujourd'hui												

第三课

天	tiān	天	天	天	天	天	天	天	天	天	天	天
ciel, jour												
明	míng	明	明	明	明	明	明	明	明	明	明	明
clair ; clarté												
星	xīng	星	星	星	星	星	星	星	星	星	星	星
étoile												
期	qī	期	期	期	期	期	期	期	期	期	期	期
période												
时	shí	时	时	时	时	时	时	时	时	时	时	时
temps												
候	hòu	候	候	候	候	候	候	候	候	候	候	候
moment												
完	wán	完	完	完	完	完	完	完	完	完	完	完
finir de												
了	le	了	了	了	了	了	了	了	了	了	了	了
particule finale / particule verbale												

3) Entourez le cinquième trait de chaque caractère et notez dessous le nombre de traits de chacun.

饭　半　点　侯　星　都　明　晚

Nombre
de traits : ....

4 Écrivez l'heure indiquée sur les horloges.

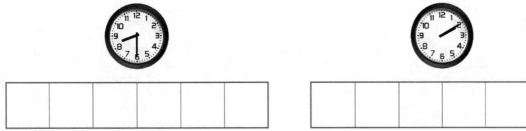

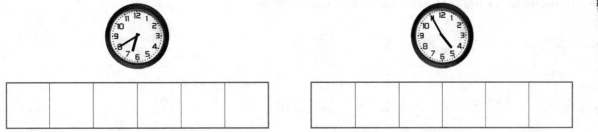

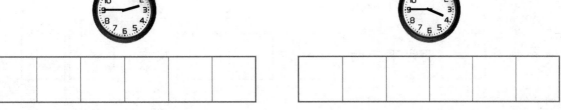

5 Écrivez des expressions ou des mots interrogatifs contenant 几.

6 Citez quatre mots comportant le caractère 天.

第三课

7 Écrivez en caractères ou en pinyin 10 mots qui appartiennent au domaine des 活动 en les répartissant en deux listes en fonction de vos goûts.

huódòng

8 Complétez les phrases avec les mots qui conviennent.

a. 他星 ☐ 六上 ☐ 看 ☐ 视。
shì

b. 你 ☐ 期天下 ☐ 五 ☐ 以后做 ☐ ☐ ？

c. 你什么时 ☐ ☐ 作业？
zuòyè

d. 她和妈妈 ☐ 期六下午两 ☐ 以 ☐ ☐ 欢去买 ☐ ☐ 。
qù mǎi

e. 我吃 ☐ 饭以后玩 ☐ 脑。
wán   nǎo

Je m'entraîne en grammaire

manuel p. 56-57

9 Traduisez les phrases suivantes en français :

a. 现在六点了。 ....

b. 他学法语了。 ....

c. 我不吃早饭了。 ....

10 Posez une question sur la partie soulignée de chaque phrase.

a. 现在<u>八点半</u>。

b. 他们<u>星期三</u>下午不上学。

c. 她<u>明天下午</u>弹吉他。
　　　　 tán jí

d. 今年我们<u>九月二日</u>开学。
　　　　　　　　 kāi

e. 今天下午我们<u>五点十分</u>放学。
　　　　　　　　　 fàng

11 Traduisez les phrases suivantes en chinois :

a. Le matin, je me lève à 6h30.

b. Tous mes camarades déjeunent à 12 h.

c. L'après-midi, je finis les cours à 16h15.

d. Le soir, je me couche à 23h30.

第
三
课

Je m'entraîne à la compréhension de l'écrit.

12 Dans cette suite de caractères se cache un dialogue. Retrouvez les 5 phrases et réécrivez-les avec la ponctuation qui convient.

你早上几点起床我六点半起床起床以后你做什么我吃早饭我吃完早饭以后去上课

Je m'entraîne à l'expression écrite

13 Décrivez vos activités et sorties d'une semaine type. Précisez le jour, le moment et l'heure où vous les pratiquez.

我的活动
huódòng

🎧 Phonétique et pinyin

14 Complétez en pinyin le son que vous entendez.

1. qīngz...............

2. péngy...............

3. yǐh...............

4. z.............. z.............. yè

Atelier d'écriture

1 Étudiez les éléments composants des caractères pour mieux les retenir.

graphie	pinyin	éléments composants et explications	signification
课	kè	讠 clé de la parole + 果 (日 + 木)	cours
语	yǔ	讠 clé de la parole + 吾 (五 + 口)	langue
文	wén	pictogramme : un torse tatoué	écriture, langue, lettres
法	fǎ	氵 clé de l'eau + 去 aller	loi
和	hé	禾 clé des céréales + 口 la bouche	et ; harmonie
很	hěn	彳 clé de la marche lente + 艮	très
太	tài	大 grand + un point dessous	trop
最	zuì	日 clé du soleil + 耳 l'oreille + 又	au plus, le plus
想	xiǎng	木 le bois + 目 l'œil + 心 clé du cœur	souhaiter, penser
说	shuō	讠 clé de la parole + 兑 (丷 + 口 + 儿)	dire, parler

2 En respectant l'ordre et le sens des traits, écrivez sur les caractères en grisé puis complétez la deuxième ligne en prononçant le caractère à voix haute.

课	kè	课	课	课	课	课	课	课	课	课	课	课
cours												
语	yǔ	语	语	语	语	语	语	语	语	语	语	语
langue												
文	wén	文	文	文	文	文	文	文	文	文	文	文
écriture, langue, lettres												
法	fǎ	法	法	法	法	法	法	法	法	法	法	法
loi												

第三课

和	hé	和	和	和	和	和	和	和	和	和	和	和
et ; harmonie												
很	hěn	很	很	很	很	很	很	很	很	很	很	很
très												
太	tài	太	太	太	太	太	太	太	太	太	太	太
trop												
最	zuì	最	最	最	最	最	最	最	最	最	最	最
au plus, le plus												
想	xiǎng	想	想	想	想	想	想	想	想	想	想	想
souhaiter, penser												
说	shuō	说	说	说	说	说	说	说	说	说	说	说
dire, parler												

3 Retrouvez plusieurs caractères que vous avez appris dans lesquels apparaissent les composants ci-dessous :

la bouche

le soleil

la parole

le cœur

la main

le toit

4 Chaque caractère possède une organisation stricte de son espace. Inscrivez 点、最、吃、想、时 dans l'espace approprié.

J'écris sous la dictée

5 Écrivez les phrases dictées en caractères en respectant l'ordre et le sens des traits.

			床 chuáng	。				
			。					
		。						!

Je connais le vocabulaire

manuel p. 55

6 Trouvez pour chaque mot ci-dessous son contraire.

a. 晚

c. 很好玩
   wán

b. 上

d. 很有意思
   yìsi

7 Écrivez les noms des matières scolaires citées dans ce chapitre.

8 Composez 18 mots en associant les caractères donnés. Un caractère peut être utilisé plusieurs fois.

吃　期　明　法　星　午　后　饭　上　东　课　书　时　是　天
喜　中　晚　西　今　语　可　看　早　文　欢　下　候　以　课

第三课

<table>
<tr><td></td><td></td><td></td><td></td><td></td><td></td><td></td></tr>
<tr><td></td><td></td><td></td><td></td><td></td><td></td></tr>
<tr><td></td><td></td><td></td><td></td></tr>
<tr><td></td><td></td><td></td><td></td></tr>
</table>

9 Trouvez l'intrus parmi les mots suivants et entourez-le, puis expliquez votre choix.

语文 　　 数学 　　 体育 　　 东西 　　 历史 　　 中文
　　　　 shù 　　　 tǐyù 　　　　　　 lìshǐ

Je m'entraîne en grammaire

manuel p. 57

10 Réécrivez les phrases ci-dessous en ajoutant 很，太，最 ou 不 pour exprimer votre avis personnel.

a. 数学课好。
　　shù

b. 我们的语文老师凶。
　　　　　　lǎoshī xiōng

c. 英语课难。
　　yīng 　　 nán

d. 星期四的作业多。
　　　　　 zuòyè

e. 我喜欢体育课。
　　　　tǐyù

Je m'entraîne à la compréhension de l'écrit

1 Résumez en français ce que vous avez compris.

> 我的同学说他的爸爸妈妈太棒了。下课以后，他可以玩电脑，玩完电
> tóng   bà   bàng   wán nǎo
> 脑以后，他看电视，因为他最喜看电视。有时，他也去买东西，他太喜
>   shì yīnwèi   mǎi
> 欢买东西了。晚上他的爸爸妈妈很晚回家。他可以很晚睡觉，太好了！
>   huí   shuìjiào

Je m'entraîne à l'expression écrite

12 Formez une question à partir des éléments donnés en utilisant un interrogatif
différent à chaque fois, puis répondez-y.

a. 你看电视
      shì

b. 你做

c. 你家有

d. 你星期四下午下课

第
三
课

13 Répondez à ces questions qui vous concernent en faisant des phrases complètes.

a. 你什么时候有英语课？
           yīng

b. 你星期几有数学课？
           shù

c. 你最喜欢学什么？

d. 你的作业多不多？
         zuòyè

e. 你星期天几点起床？
           chuáng

f. 你的语文老师凶吗？
      lǎoshī xiōng

14 Décrivez votre journée du samedi ou du dimanche en donnant un maximum de précisions.

Phonétique et pinyin

15 Complétez en pinyin le son que vous entendez.

1. ....qiú

2. ....

3. ....

4. ....wén

Pour vous amuser : le sudoku !

Lisez attentivement la phrase ci-dessous et mémorisez-la. Remplissez ensuite la grille de sudoku avec les caractères qui la composent.

星期四上午有语文课

期	语		课		上	四	午	文
	课	上				语		有
文		星	语		有		上	期
	期	课		语	四	上		星
	语	星		午	期	有		
有		四	文	上		午	课	
课		期	午	文		有		
星		午	上	期	语		四	课
语	上	文	四				期	午

第三课

• 49

Écoutez le message sur le répondeur de la bibliothèque et répondez aux questions sur les heures d'ouverture. **CD 44**

Aidez-vous du tableau pour faire cette activité :

	lundi	mardi	mercredi	jeudi	vendredi	samedi	dimanche
ouverture							
fermeture							

– À quelle heure la bibliothèque ouvre-t-elle chaque jour de la semaine ?

– Quels sont les jours où elle ferme le plus tard ? À quelle heure ferme-t-elle alors ?

– Y a-t-il un jour de fermeture ?

 Lisez l'emploi du temps du matin de 李莉文 et dites si les affirmations ci-dessous sont
Lǐ Lì
vraies ou fausses.

• Elle a cours de sport le jeudi.   ☐ vrai   ☐ faux

• Elle a cours de lettres tous les matins.   ☐ vrai   ☐ faux

• Elle étudie deux langues étrangères.   ☐ vrai   ☐ faux

• Elle a 4 cours de mathématiques par semaine.   ☐ vrai   ☐ faux

	星期一	星期二	星期三	星期四	星期五
7.45 – 8.30	语文	数学	体育 tǐyù	英语	语文
8.40 – 9.25	历史 lìshǐ	法语	语文	数学	英语
9.55 – 10.40	英语 yīng	历史	数学	语文	数学
10.50 – 11.40	数学 shù	语文	英语	法语	历史

Racontez votre journée du mercredi, du matin jusqu'au soir.

Atelier d'écriture

1 Étudiez les éléments composants des caractères pour mieux les retenir.

graphie	pinyin	éléments composants et explications	signification
坐	zuò	idéogramme : deux 人 hommes + 土 la terre	s'asseoir, prendre un moyen de transport
火	huǒ	pictogramme : un feu avec ses flammèches	feu
车	chē	pictogramme : 車 un véhicule vu du dessus	véhicule
回	huí	囗 l'enceinte + 口 la bouche	revenir, retourner
去	qù	土 la terre + 厶 privé	aller
怎	zěn	乍 + 心 clé du cœur	comment ?
从	cóng	idéogramme : deux 人 hommes l'un derrière l'autre	de, depuis
到	dào	至 atteindre + 刂 dāo, couteau, él. phon.	à, jusqu'à
近	jìn	斤 jīn, él. phon. + 辶 clé de la marche rapide	proche
远	yuǎn	元 yuán, él.phon. + 辶 clé de la marche rapide	loin
要	yào	西 l'ouest + 女 la femme	falloir, vouloir
长	cháng	長 une personne avec de longs cheveux	long

2 En respectant l'ordre et le sens des traits, écrivez sur les caractères en grisé puis complétez la deuxième ligne en prononçant le caractère à voix haute.

 Avant de commencer, consultez l'*Introduction à l'écriture chinoise* p. 4-5.

坐 zuò	坐	坐	坐	坐	坐	坐	坐	坐	坐	坐	坐
s'asseoir, prendre (transport)											
火 huǒ	火	火	火	火	火	火	火	火	火	火	火
feu											
车 chē	车	车	车	车	车	车	车	车	车	车	车
véhicule											

第四课

回	huí	回	回	回	回	回	回	回	回	回	回	回
revenir, retourner												
去	qù	去	去	去	去	去	去	去	去	去	去	去
aller												
怎	zěn	怎	怎	怎	怎	怎	怎	怎	怎	怎	怎	怎
comment ?												
从	cóng	从	从	从	从	从	从	从	从	从	从	从
de, depuis												
到	dào	到	到	到	到	到	到	到	到	到	到	到
à, jusqu'à												
近	jìn	近	近	近	近	近	近	近	近	近	近	近
proche												
远	yuǎn	远	远	远	远	远	远	远	远	远	远	远
loin												
要	yào	要	要	要	要	要	要	要	要	要	要	要
falloir, vouloir												
长	cháng	长	长	长	长	长	长	长	长	长	长	长
long												

Je connais les règles d'écriture

3 De mémoire, recréez la grille d'écriture de ce caractère que vous avez appris en respectant l'ordre et l'orientation des traits. N'oubliez pas les flèches !

Inscrivez ensuite dans la dernière case le nombre de traits du caractère.

想										

4 De mémoire, tracez plusieurs caractères dont le premier trait est une ligne horizontale.

Je connais le vocabulaire

5 Écrivez le nom du moyen de transport sous chaque photo.

a.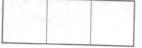

b.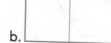

c.

d.

e.

第四课

6 Complétez chacune des phrases suivantes avec un moyen de transport différent et la préposition qui convient, si nécessaire.

a. 他坐他妈妈的 ☐ ☐ ☐ 去打网球。
   wǎngqiú

b. 她坐 ☐ ☐ 车去上课。

c. 他妈妈 ☐ ☐ ☐ 去买东西。
   mǎi

d. 他爸爸喜欢骑 ☐ ☐ 。
   qí

e. 他哥哥 ☐ 摩 ☐ ☐ 去看电影。
   gē   mó   yǐng

7 Citez les mots qui peuvent s'utiliser avec 很 et qui apparaissent sur les pages 64 et 65 de votre manuel.

a. 很 ☐   b. 很 ☐   c. 很 ☐   d. 很 ☐   e. 很 ☐ ☐

Je m'entraîne en grammaire

manuel p. 76

8 Complétez chaque question avec un mot interrogatif différent.

a. 你 ☐ ☐ ☐ 有中文课?

b. 从你家到学校要 ☐ ☐ ☐ ☐ ?
   xiào

c. 你 ☐ ☐ 回去?

e. 你坐公交车 ☐ ☐ 走路回家?
   gōngjiāo   zǒulù

9 Remettez les mots dans l'ordre afin de former une phrase correcte avec sa ponctuation.

a. 回，地铁，家，他，坐，吗
      dìtiě

☐ ☐ ☐ ☐ ☐ ☐ ☐ ☐ ☐ ☐ ☐

b. 要，十，公交车，分钟，五，坐
   gōngjiāo zhōng

c. 学校，多长，到，你，要，从，家，时间
   xiào

d. 中学，四，从，我家，远，要，到，分钟，走路，不
   zǒulù

e. 爸爸，下午，要，今天，来，我，接
   lái jiē

f. 想，地铁，妈妈，东西，去，买，坐

10 Écrivez une phrase avec 从 et 到 pour chaque dessin, en utilisant les informations données et 上午，下午 ou 晚上.

a. 17h → 17h45

b. 10h → 11h55

c. 10h → 10h30

d.

18h → 19h15

Je m'entraîne à la compréhension de l'écrit

11 Reliez les deux parties de phrases correspondantes :

a. 我走路上学
　　zǒulù

b. 你怎么回去?

c. 我坐公交车和地铁上学
　　gōngjiāo　　　　dìtiě

d. 从他家到学校

e. 我不想坐地铁去买东西

f. 他姐姐不想去看电影
　　jiě　　　　　　　yǐng

• 1. 因为我的学校很远。
　　　yīnwèi　　　　xiào

• 2. 走路要十五分钟。

• 3. 因为坐地铁不方便。
　　　　　　　　　fāngbiàn

• 4. 因为她不喜欢看电影。

• 5. 因为我的学校很近。

• 6. 我骑自行车回去。

12 Retrouvez les 4 phrases cachées dans cette suite de caractères, puis reconstituez le dialogue en ajoutant la ponctuation.

从你家到学校远不远不远可是我坐我妈妈的车上学坐车要多长时间要二
十分钟
　xiào
　zhōng

Je m'entraîne à l'expression écrite

13 Posez 6 questions avec des mots interrogatifs différents, dont ceux que vous venez d'apprendre dans la leçon 4 (sans utiliser 吗).

a.

b.

c.

d.

e.

f.

14 Répondez aux questions suivantes en faisant une phrase complète.

a. 你怎么上学？

b. 你怎么回家？

c. 从你家到学校远不远？
　　　　　xiào

d. 从你家到学校要多长时间？

e. 从你家到学校方便吗？
　　　　　fāngbiàn

f. 你每天都骑自行车吗？
　　　　qí　zìxíng

15 Écrivez un texte (minimum 50 caractères en vous aidant du pinyin si besoin) sur les moyens de transports que vous utilisez régulièrement, en semaine ou le week-end, en précisant pour quelle raison vous les empruntez et la durée du trajet.

16 Dites ce que vous *devez* faire aujourd'hui, puis ce que vous *avez envie* de faire et enfin ce que vous *pouvez* faire en utilisant les verbes auxiliaires que vous connaissez (aidez-vous de la page grammaire). Faites deux phrases pour chaque cas.

Phonétique et pinyin

17 Notez le ton que vous entendez sur chaque syllabe, puis trouvez le mot qui correspond au sens appris.

1. keyi   keyi   keyi   → pouvoir : ....

2. yiqi   yiqi   yiqi   → ensemble : ....

3. chengshi   chengshi   → ville : ....

4. huoche   huoche   → train : ....

Atelier d'écriture

1 Étudiez les éléments composants des caractères pour mieux les retenir.

graphie	pinyin	éléments composants et explications	signification
在	zài	才 + 土 clé de la terre	se trouver quelque part ; à
哪	nǎ	口 clé de la bouche+ 那 nà, él. phon., cela	quel, lequel
住	zhù	亻 clé de l'homme + 主 zhǔ, él. phon.	habiter
对	duì	又 clé de la main droite + 寸 pouce	exact
前	qián	⺊ + 一 + 月 + 刂	devant, avant
面	miàn	目 l'œil, au centre du visage	face, visage
地	dì	土 clé de la terre + 也	sol, terre
方	fāng	un point + 万	carré, côté, direction
边	biān	力 la force + 辶 clé de la marche rapide	côté
买	mǎi	乛 + 头 la tête	acheter

2 En respectant l'ordre et le sens des traits, écrivez sur les caractères en grisé puis complétez la deuxième ligne en prononçant le caractère à voix haute.

在	zài	在	在	在	在	在	在	在	在	在	在
se trouver qq part ; à											
哪	nǎ	哪	哪	哪	哪	哪	哪	哪	哪	哪	哪
quel, lequel											
住	zhù	住	住	住	住	住	住	住	住	住	住
habiter											
对	duì	对	对	对	对	对	对	对	对	对	对
exact											

前	qián	前	前	前	前	前	前	前	前	前	前	前
devant, avant												
面	miàn	面	面	面	面	面	面	面	面	面	面	面
face, visage												
地	dì	地	地	地	地	地	地	地	地	地	地	地
sol												
方	fāng	方	方	方	方	方	方	方	方	方	方	
carré, côté, direction												
边	biān	边	边	边	边	边	边	边	边	边	边	
côté												
买	mǎi	买	买	买	买	买	买	买	买	买	买	买
acheter												

3) Parmi les caractères ci-dessous, entourez celui qui a le plus de traits. Notez ensuite le nombre de traits de chacun.

四	说	哪	喜	西	看	明	要	回	有	家	前

4) Observez le dernier trait de chaque caractère et trouvez l'intrus. Expliquez votre choix.

住	很	面	上	语	回	国	星

Je connais le vocabulaire

5 Citez un maximum de mots ou d'expressions comportant les caractères suivants :

a. 面

b. 站
zhàn

c. 公
gōng

6 Trouvez trois qualificatifs que l'on peut attribuer à un quartier.

7 Ajoutez tous les compléments que vous connaissez à chaque verbe.

a. 坐

b. 看

c. 去

d. 买

e. 想

Je m'entraîne en grammaire

8 À partir de chaque mot, écrivez des phrases complètes pour situer les différents lieux les uns par rapport aux autres sur le plan.

第四课

a. 书店
  diàn

b. 游泳池
  yóuyǒngchí

c. 超市
  chāoshì

d. 学校
  xiào

e. 饭馆
  guǎn

9 Remettez les mots dans l'ordre afin de former une phrase correcte avec sa ponctuation.

a. 有，面，很，家，饭馆，多，前，我
           guǎn

b. 对面，电影院，我，在，家
   　　yǐngyuàn

c. 都，住在，我家，的，朋友，附近，我
   　　　　　　péngyou　fù

d. 你哥哥，怎么样，地方，的，住
   　　gē

10 Réécrivez la phrase selon l'exemple donné.

Exemple : 火车站前面有一家饭馆。→ 饭馆在火车站前面。
　　　　　zhàn　　　　　　guǎn

1. 商店后面有一家电影院。
   shāngdiàn　　　　　yǐngyuàn

2. 我家对面有一个公交车站。
   　　　　　　gōngjiāo

3. 我的朋友家旁边有一个中学。
   　　　　　páng

Je m'entraîne à la compréhension de l'écrit

11 Complétez le texte avec les mots suivants :

很	到	远	附近	四分钟	前面	近	下课
			fù				
远	地方	多	从	方便	多	二十分钟	
				biàn			

我住的 ☐ ☐ 很安静，因为附近没有很多商店，人不 ☐ ，车也不
　　　　　　　　　　ānjìng　　　fù　　　　shāngdiàn

☐ 。 我家 ☐ 超市有点 ☐ ，妈妈说买东西不太 ☐ ☐ 。
　　　　　　　　　chāoshì

电影院也有点 ☐ ，我们要坐公交车去，坐公交车要 ☐ ☐ ☐
yǐngyuàn   gōngjiāo

☐ ，可是我不常去看电影，我不太喜欢看电影。公园很 ☐ ，
            cháng   gōngyuán

走路只要 ☐ ☐ ☐ 。 ☐ 以后，我常常和朋友去公
zǒulù zhǐ   péngyou

园打球。我的朋友都住在我家 ☐ ☐ 。我的学校在我家的 ☐
   qiú   xiào

☐ ，走路只要两分钟。我 ☐ 喜欢我住的地方。

---

12 Lisez la description ci-dessous et trouvez le dessin du quartier correspondant.

① ②

张书家附近有电影院和很多商店。电影院在他家对面。电影院左边是一家
Zhāng   fù   yǐngyuàn   shāngdiàn
超市，张书的妈妈星期六都去那儿买东西。电影院右边是一家CD店。张书
chāoshì
上学很方便，学校离他家很近，在他家后面。从他家到学校要走五分钟。
      biàn   lí   zǒu
学校旁边有几家饭馆。中午，张书有时回家吃午饭，有时在饭馆吃饭。

Je m'entraîne à l'expression écrite

13 Décrivez le plan du quartier reproduit p. 62 du cahier ou p. 66-67 du manuel.

14 Répondez aux questions suivantes en ce qui vous concerne :

a. 你什么时候坐公交车？
gōngjiāo

b. 你住的地方离火车站远不远？
lí

c. 你怎么去看电影？

d. 你住的地方热闹吗？ 为什么？
rènao

e. 你想不想搬家，为什么？
bān wèi

Phonétique et pinyin

15 Complétez en pinyin le son que vous entendez.

1. ....ānjiā

2. fùj............

3. ....éngyou

4. x............qī............ì

5. ānj............

6. fàng............

第
四
课

Atelier d'écriture

1 Étudiez les éléments composants des caractères pour mieux les retenir.

graphie	pinyin	éléments composants et explications	signification
房	fáng	户 clé du battant de porte + 方 fāng, él. phon.	maison
间	jiān	日 le soleil + 门 la porte	espace, intervalle, pièce
所	suǒ	户 le battant de porte + 斤	cf. : 所以
心	xīn	pictogramme : un cœur	cœur
因	yīn	口 clé de l'enceinte + 大	cause, cf. : 因为
为	wèi	力 la force + deux points	pour, cf. : 因为
来	lái	一 + 丷 + 木 l'arbre	venir
国	guó	口 clé de l'enceinte + 玉 le jade	pays
小	xiǎo	pictogramme : des grains de sable	petit
还	hái	不 + 辶 clé de la marche rapide	encore
现	xiàn	王 clé du jade + 见 voir	présent, actuel

2 En respectant l'ordre et le sens des traits, écrivez sur les caractères en grisé puis complétez la deuxième ligne en prononçant le caractère à voix haute.

房 fáng	房 房 房 房 房 房 房 房 房 房 房
maison	
间 jiān	间 间 间 间 间 间 间 间 间 间 间
espace, pièce	
所 suǒ	所 所 所 所 所 所 所 所 所 所 所
cf. : 所以	
心 xīn	心 心 心 心 心 心 心 心 心 心 心
cœur	

因	yīn	因	因	因	因	因	因	因	因	因	因
cause, cf. : 因为											
为	wèi	为	为	为	为	为	为	为	为	为	为
pour, cf. : 因为											
来	lái	来	来	来	来	来	来	来	来	来	来
venir											
国	guó	国	国	国	国	国	国	国	国	国	国
pays											
小	xiǎo	小	小	小	小	小	小	小	小	小	小
petit											
还	hái	还	还	还	还	还	还	还	还	还	还
encore											
现	xiàn	现	现	现	现	现	现	现	现	现	现
présent, actuel											

第四课

3) De mémoire, tracez les clés que vous connaissez à ce jour.

4) Appuyez-vous sur le pinyin pour compléter la phrase suivante avec les caractères qui conviennent.

			市			,		离			
		,		便	。						

→ Wǒ jiā zhù zài shì zhōngxīn, wǒ jiā lí zhōngxué bù tài yuǎn, hěn fāngbiàn.

J'écris sous la dictée

🎧 **5** Écrivez les phrases dictées en caractères en respectant l'ordre et le sens des traits.

									,
	校 _{xiào}			◦					,
					,				
	朋 _{péng}	友 _{yòu}						校	◦

Je connais le vocabulaire

manuel p. 75

6 Citez le nom de la pièce qui correspond, selon vous, aux activités suivantes :

a. 睡觉
_{shuìjiào}

d. 玩电脑
_{wán nǎo}

b. 吃饭

e. 做饭

c. 看电视
_{shì}

f. 做作业
_{zuòyè}

g. 小便
_{biàn}
(aller aux toilettes)

h. 洗澡 (regardez la clé des caractères pour retrouver cette activité)

7 Trouvez au moins deux mots ou expressions composés de chacun des caractères suivants.

a. 多

b. 课

c. 时

d. 车

e. 地

f. 学

g. 房

Je m'entraîne en grammaire

8 Écrivez les questions qui permettent d'interroger sur les mots soulignés sans utiliser 吗.

a. 他<u>坐公交车</u>去上学。
　　 gōngjiāo

b. 走路去超市要<u>十五分钟</u>。
　　 chāoshì

c. 我去<u>超市</u>买东西。

d. 我弟弟<u>每个星期三</u>都去<u>游泳池</u>游泳。
　　 dì　　　　　　　　　　 yóuyǒngchí

e. 这个房间<u>不大也不小，很好看</u>。

f. 他妈妈星期一上午去<u>买东西</u>。

9 Traduisez en chinois les phrases suivantes :

a. J'habite à côté de l'école.

b. La librairie est loin de chez moi.

c. En bas de chez moi il y a un jardin.

d. L'endroit où j'habite est proche de la gare.

Je m'entraîne à la compréhension de l'écrit

10 Lisez l'e-mail que 黄天天 a écrit à son ami. Prenez des notes en français sur les
Huáng
deux logements mentionnés.

> 小方，
>
> 　　昨天爸爸妈妈和我们去看了一个新房子。我们想搬家，因为我
> *zuó* *xīn* *bān*
> 们家现在¹的房子太小了。现在我们家只有两个房间，我和弟弟住在
> *dì*
> 一个房间里。新房子有四个房间。我们现在的房子只有一个浴室和
> *yùshì*
> 厕所。新房子有两个浴室和两个厕所，太好了。
> *cèsuǒ*
> 　　你知道，我们现在的房子有一个大客厅和一个小厨房。新房子
> *zhīdào* *kètīng* *chú*
> 的客厅和厨房都很大。最后²，妈妈说她觉得房子很好，可是不在市
> *shì*
> 中心，旁边没有很多商店，买东西不太方便。可是爸爸说新房子离
> *páng* *shāngdiàn* *lí*
> 地铁站和车站很近，很方便。
> *tiě zhàn*
> 　　我们买了新房子以后你来玩吧！
>
> 　　　　　　　　　　　　　　　　　　　　　　　　　　黄天天

1. 现 xiàn 在 : à présent ; 2. 最后 : à la fin

ancienne maison	nouvelle maison

Je m'entraîne à l'expression écrite

11 Décrivez cette maison en 80 caractères au minimum (en vous aidant éventuellement du pinyin).

Aide : 一楼 lóu : rez-de chaussée ; 二楼 : 1ᵉʳ étage ; 三楼 : 2ᵉᵐᵉ étage

第四课

12 Complétez en pinyin le son que vous entendez.

1. zǎo............āo

2. dǎ............ǎo

3. ....óng

4. ....è............uǒ

5. xīngqī............ān

6. yǒu yì............i

13 Entraînez-vous à répéter les mots suivants après l'enregistrement, puis vérifiez votre prononciation.

音乐，课表，热闹，旁边，旅行，星期三，有意思，厕所

Pour vous amuser : un sudoku !

Lisez attentivement la phrase ci-dessous et mémorisez-la. Remplissez ensuite la grille de sudoku avec les caractères qui la composent.

从我们家到中学不远

们				我	不		中	
远			中		学			从
	不		远	们				到
我		从		家	远		不	学
到		远	学		中	们		
不	们		我	从		家		中
从				中	家		学	
中		不	到		们			家
	远		从	学		中		不

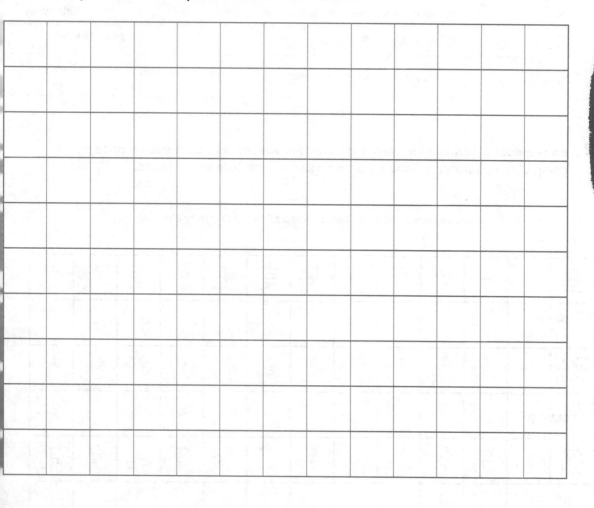

👂 Écoutez 马文 et ses parents parler de leurs trajets quotidiens, puis soulignez la bonne réponse CD 63

Ⓐ 1. Le père va travailler en bus / en métro / en voiture.

   2. Il met 60 minutes / 30 minutes / 50 minutes.

   3. En bus, c'est plus rapide / plus lent.

Ⓑ 1. La mère travaille près de chez elle / loin de chez elle / pas trop loin.

   2. Elle y va souvent en vélo / en bus / à pied.

   3. À pied, il faut 10 minutes / 15 minutes / 30 minutes

Ⓒ 1. L'école de 马文 est loin de chez elle / tout près / pas trop loin.

   2. Elle met en général 30 minutes / 20 minutes / 10 minutes.

   3. Elle y va le plus souvent en bus / en métro / en vélo.

🖊 Vous participez à un blog sur la ville : présentez votre ville, dites ce que vous aimez et ce que vous n'aimez pas en donnant vos raisons.

第四课

Atelier d'écriture

1 Étudiez les éléments composants des caractères pour mieux les retenir.

graphie	pinyin	éléments composants et explications	signification
里	lǐ	田 le champ + 土 la terre	dans, dedans
新	xīn	亲 (立 « être debout » + 木 l'arbre) + 斤	nouveau
第	dì	⺮ clé du bambou + 弟	*préfixe ordinal*, "n-ième"
每	měi	deux traits + 母 la mère	chaque
白	bái	un trait + 日 le soleil	blanc
左	zuǒ	𠂇 la main gauche + 工 le travail	gauche
右	yòu	𠂇 la main gauche + 口 la bouche	droite
如	rú	女 clé de la femme + 口 la bouche	si (*conditionnel*)
果	guǒ	田 le champ + 木 l'arbre	fruit
用	yòng	un seau en bois avec une anse	utiliser, se servir de ; avec

2 En respectant l'ordre et le sens des traits, écrivez sur les caractères en grisé puis complétez la deuxième ligne en prononçant le caractère à voix haute.

 Avant de commencer, consultez l'*Introduction à l'écriture chinoise* p. 4-5.

里 lǐ	里	里	里	里	里	里	里	里	里	里
dans, dedans										
新 xīn	新	新	新	新	新	新	新	新	新	新
nouveau										
第 dì	第	第	第	第	第	第	第	第	第	第
préfixe ordinal										

每	měi	每	每	每	每	每	每	每	每	每	每	每
chaque												
白	bái	白	白	白	白	白	白	白	白	白	白	白
blanc												
左	zuǒ	左	左	左	左	左	左	左	左	左	左	左
gauche												
右	yòu	右	右	右	右	右	右	右	右	右	右	右
droite												
如	rú	如	如	如	如	如	如	如	如	如	如	如
si (conditionnel)												
果	guǒ	果	果	果	果	果	果	果	果	果	果	果
fruit												
用	yòng	用	用	用	用	用	用	用	用	用	用	用
utiliser, se servir de ; avec												

3 Devinette graphique : de quel élément composant s'agit-il ?

国 没 有 玉 ☐

4 De mémoire, tracez 10 caractères que vous connaissez comportant au moins huit traits.

第五课

5 Classez les mots ci-dessous dans la bonne colonne :

后面　　厨房 chú　　前边　　书架 jià　　超市 chāoshì　　客厅 kètīng　　对面　　床 chuáng　　厕所 cè

车站 zhàn　　右边　　游泳池 yóuyǒngchí　　桌子 zhuō　　下面　　里面　　商店 shāngdiàn　　浴室 yùshì　　房间

衣柜 yīguì　　公园 gōngyuán　　电影院 yǐngyuàn　　左边　　饭馆 guǎn

Lieux publics ou magasins	pièces de la maison	meubles	particules locatives

6 Cochez les bonnes réponses.

a. 客厅里常常有 kètīng cháng ：

□ 床 chuáng　　□ 椅子 yǐ　　□ 电视机 shìjī　　□ 车　　□ 桌子 zhuō　　□ 电脑 nǎo

b. 你家有 ：

□ 火车　　□ 书　　□ 床　　□ 电脑　　□ 地铁 tiě　　□ 桌子

c. 在浴室里可以 yùshì ：

□ 买东西　　□ 洗澡 xǐzǎo　　□ 吃饭　　□ 做作业 zuòyè

d. 我的书放 (mettre, ranger) fàng 在 ：

□ 桌子下面　　□ 书架里面 jià　　□ 电脑后面　　□ 床下面

Je m'entraîne en grammaire

7 Faites des phrases complètes avec les éléments donnés, en utilisant à chaque fois le locatif approprié.

a. 做作业　　　　　　桌子
　　zuòyè　　　　　　zhuō

（格子欄）

b. 做饭　　　　　　　厨房
　　　　　　　　　　chú

（格子欄）

c. 我的椅子　　　　　桌子
　　　yǐ

（格子欄）

d. 客厅　　　　　　　看电视
　　kètīng　　　　　　　shì

（格子欄）

e. 我的鞋子 (chaussures)　床
　　　xié　　　　　　　　chuáng

（格子欄）

8 Utilisez le classificateur qui convient.

a. 两 ☐ 床　　　　b. 四 ☐ 电脑　　　c. 一 ☐ 同学
　　　　chuáng　　　　　　　nǎo　　　　　　　　tóng

d. 三 ☐ 画　　　　e. 一 ☐ 椅子　　　f. 两 ☐ 灯
　　　　huà　　　　　　　　yǐ　　　　　　　　　dēng

g. 一 ☐ 电视机　　h. 五 ☐ 老师　　　i. 我家有六 ☐ 人
　　　　shìjī　　　　　　　lǎoshī

第五课

Je m'entraîne à la compréhension de l'écrit

9 Lisez les phrases suivantes et trouvez de quels objets il s'agit sur le dessin.

a. 这个东西在桌子上，在书的左边，不是尺子，是什么？
　　　　zhuō　　　　　　　　　　　chǐ

b. 这个东西在床下面，不是鞋子 (chaussures)，在鞋子后面，最左边，是什么？
　　　　chuáng　　　xié

c. 这个东西在床下面，不是包，在篮球前面，包旁边，是什么？
　　　　　　　　　　bāo　　lánqiú　　　　páng

d. 这个东西在桌子上，在台灯前面，书的右边，是什么？
　　　　　　　　　dēng

a. ....

b. ....

c. ....

d. ....

Je m'entraîne à l'expression écrite

10 Dites quels sont les meubles que vous souhaiteriez changer dans votre chambre et expliquez pourquoi.

🎧 Phonétique et pinyin

11 Écoutez les mots, puis écrivez-les en pinyin dans la colonne qui correspond au ton entendu.

1er ton	2ème ton	3ème ton	4ème ton

Atelier d'écriture

1 Étudiez les éléments composants des caractères pour mieux les retenir.

graphie	pinyin	éléments composants et explications	signification
开	kāi	deux mains jointes 廾 soulevant la barre 一 de verrouillage d'une porte	ouvrir, conduire
觉	jué/jiào	⺍ + 见 voir	sentir, percevoir / sommeil
得	dé/de	彳 clé de la marche lente + 日 le soleil + 一 + 寸 le pouce	obtenir / *particule*
手	shǒu	pictogramme : une main	main
机	jī	木 clé de l'arbre + 几 jǐ, él. phon.	machine
让	ràng	讠 clé de la parole + 上	laisser faire, faire faire
玩	wán	王 clé du jade + 元	jouer
它	tā	宀 clé du toit + 匕 l'homme renversé	il, elle (animaux, objets)
狗	gǒu	犭 clé de l'animal griffu + 句	chien
同	tóng	冂 + 一 + 口	identique
意	yì	立 « être debout » + 日 le soleil + 心 clé du cœur	sens, signification
那	nà	月 + 阝 la ville	cela

2 En respectant l'ordre et le sens des traits, écrivez sur les caractères en grisé puis complétez la deuxième ligne en prononçant le caractère à voix haute.

开	kāi	开	开	开	开	开	开	开	开	开	开	开
ouvrir, conduire												
觉	jué/ jiào	觉	觉	觉	觉	觉	觉	觉	觉	觉	觉	觉
sentir, percevoir / sommeil												
得	dé/ de	得	得	得	得	得	得	得	得	得	得	得
obtenir / *particule*												
手	shǒu	手	手	手	手	手	手	手	手	手	手	手
main												

第五课

机	jī	机	机	机	机	机	机	机	机	机	机	机
machine												
让	ràng	让	让	让	让	让	让	让	让	让	让	让
laisser faire, faire faire												
玩	wán	玩	玩	玩	玩	玩	玩	玩	玩	玩	玩	玩
jouer												
它	tā	它	它	它	它	它	它	它	它	它	它	它
il, elle (animaux, objets)												
狗	gǒu	狗	狗	狗	狗	狗	狗	狗	狗	狗	狗	狗
chien												
同	tóng	同	同	同	同	同	同	同	同	同	同	同
identique												
意	yì	意	意	意	意	意	意	意	意	意	意	意
sens, signification												
那	nà	那	那	那	那	那	那	那	那	那	那	那
cela												

3 Créez la grille d'écriture de ce caractère que vous ne connaissez pas en respectant l'ordre et l'orientation des traits. N'oubliez pas les flèches !

够											

4 Écrivez de mémoire plusieurs caractères que vous connaissez, comportant 口.

Je connais le vocabulaire

5 Écrivez les mots que vous connaissez comportant le caractère 机.

6 Citez au moins 8 objets (en dehors des meubles) qui apparaissent dans la description des chambres.

Je m'entraîne en grammaire

7 Transformez chaque binôme de phrases en une seule en utilisant 因为 et 所以.

a. 我的房间很小。我没有沙发。
　　　　　　　　shāfā

b. 我不去看电影。我太忙。
　　　　　yǐng　　　máng

c. 他坐公交车上学。他住的地方没有地铁站。
　　　gōngjiāo　　　　　　　　tiě zhàn

d. 我不想买红色的椅子。我不喜欢红色。
　　　　　　sè　yǐ

第五课

8 Complétez chaque phrase avec les éléments donnés afin d'exprimer une hypothèse. Vous utiliserez à chaque fois 如果 et 会.

a. 明天不上课

b. 房间里面有电视机
　　shì

c. 很方便
　　biàn

d. 我很开心

9 Introduisez la structure 一边……一边 dans les phrases suivantes.

a. 我喜欢吃饭和听音乐。
　　　　　　tīng yīnyuè

b. 我姐姐常常做作业和聊天。
　　　　　　　　zuòyè　　liáo

c. 我妈妈每天早上洗澡和唱歌 (chanter)。
　　　　　　xǐzǎo　chànggē

d. 她晚上看电视，也和弟弟玩。
　　　　　　shì　　　dì

À vous d'écrire 2 phrases pour exprimer deux activités que vous faites souvent simultanément.

Je m'entraîne à la compréhension de l'écrit.

10 Retrouvez au moins 8 phrases cachées en lisant de gauche à droite, de droite à gauche et de haut en bas. Surlignez-les et donnez leur sens.

他	服	舒	很	间	房	的	我	得	觉	我	我
觉	好	天	你	虹	子	黄	满	快	色	密	妈
得	右	床	什	怀	不	书	是	白	色	的	妈
不	边	在	候	兰	大	答	回	看	树	湖	的
舒	有	房	去	达	也	桌	子	很	大	河	房
服	学	间	买	到	不	旅	游	别	北	京	间
所	校	的	书	杯	小	他	不	同	意	乱	里
以	上	左	架	京	好	像	风	景	不	及	没
不	点	边	他	服	舒	不	他	说	他	满	有
想	不	我	也	买	了	新	书	架	们	红	书
出	我	的	同	学	想	买	一	只	狗	黑	架
去	如	果	她	可	以	来	我	会	很	开	心

Aide :
舒服 shūfu
色 sè
桌 zhuō子
学校 xiào
床 chuáng
书架 jià

11 Lisez les annonces sur un site de location temporaire et les commentaires des consommateurs. Relevez les points forts et les points faibles de chaque location.

Location 1

每晚225元。二十平米。有浴室和厕所，一张两人床，
　　　　yuán　　　　píngmǐ　　yùshì　cè　　　　　chuáng
一个衣柜，有电视机，可以上网。两人早饭。
　　yīguì　　　shì　　　wǎng

留言：

Qingting113

　房间很舒服，墙上还有好看的画和照片。可是
　　　　shūfu　qiáng　　　　　　huà　zhàopiān
如果两个人，会觉得房间小。最不好的是没有窗户。
　　　　　　　　　　　　　　　　　　　　chuānghu
可是早饭很棒。
　　　bàng

Yylala

　房间很新，床和衣柜都是新的，灯最漂亮。可
　　　　　　　　　　　　　　　dēng piàoliang
是电视机太老了，不可以用。没有椅子，只能坐在床
　　　　lǎo　　　　　　　　　yǐ
上！早饭很好吃。

Location 2

没有
房间照片

每晚450元。三十五平米。有浴室，一张两人大床，
一张小床。一个衣柜，书桌，椅子都有。有电视
　　　　　　　　　zhuō
机，可以上网。

留言：

Dingding

　房间很大，东西都是新的，一家三口住最好。
衣柜里面有两个游戏，如果有孩子，可以在房间里玩
　　　　　　yóuxì　　　　hái
游戏，这是最棒的！没有早饭，可是旁边有小饭馆，
　　　　　　　　　　　　　　　páng　　　　guǎn
也很方便。
　　biàn

Taro

　房间很大也很漂亮，窗户对面是花园，很安静！
　　　　　　　　　　　　　　　　　　　ānjìng
可是衣柜太小了吧。我觉得没有早饭不太方便。有
网，可是上网不太方便，很慢。
　　　　　　　　　　　màn

Location 1

points forts	points faibles

Location 2

points forts	points faibles

Je m'entraîne à l'expression écrite

12 Écrivez plusieurs phrases à propos de quelques objets que vous aimez particulièrement.

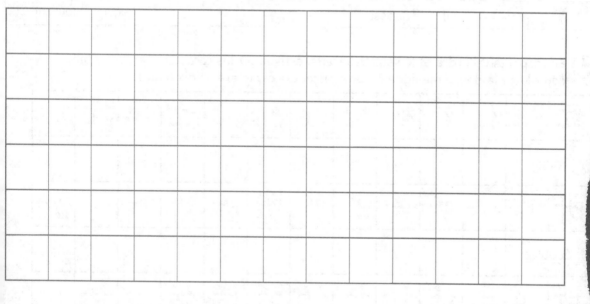

Phonétique et pinyin

13 Complétez en pinyin le son que vous entendez.

1. l_____xíng

2. sh_____f_____

3. j_____zi

4. yǔnx_____

5. n_____péngyou

6. zǒul_____

第五课

Atelier d'écriture

1 Étudiez les éléments composants des caractères pour mieux les retenir.

graphie	pinyin	éléments composants et explications	signification
红	hóng	纟 clé de la soie + 工 le travail	rouge
听	tīng	口 clé de la bouche + 斤	écouter
话	huà	讠 clé de la parole + 舌 la langue	langue, langage
跟	gēn	足 clé du pied + 艮 gèn, él. phon.	suivre ; en compagnie de, avec
爸	bà	父 le père + 巴 bā, él. phon.	papa
知	zhī	矢 clé de la flèche + 口 la bouche	sagesse, savoir
道	dào	首 + 辶 clé de la marche rapide	voie
旧	jiù	丨 + 日 le soleil	vieux, ancien
只	zhǐ/zhī	口 clé de la bouche + 八 huit	seulement / *classificateur*
能	néng	厶 privé + 月 la lune + 2 匕 hommes renversés	pouvoir, être capable de
常	cháng	尚 + 巾 le tissu	fréquent ; souvent

2 En respectant l'ordre et le sens des traits, écrivez sur les caractères en grisé puis complétez la deuxième ligne en prononçant le caractère à voix haute.

红	hóng	红	红	红	红	红	红	红	红	红	红	红
rouge												
听	tīng	听	听	听	听	听	听	听	听	听	听	听
écouter												
话	huà	话	话	话	话	话	话	话	话	话	话	话
langue, langage												
跟	gēn	跟	跟	跟	跟	跟	跟	跟	跟	跟	跟	跟
suivre ; en compagnie de, avec												

爸	bà	爸	爸	爸	爸	爸	爸	爸	爸	爸	爸	爸
papa												
知	zhī	知	知	知	知	知	知	知	知	知	知	知
sagesse, savoir												
道	dào	道	道	道	道	道	道	道	道	道	道	
voie												
旧	jiù	旧	旧	旧	旧	旧	旧	旧	旧	旧	旧	旧
vieux, ancien												
只	zhǐ/zhī	只	只	只	只	只	只	只	只	只	只	只
seulement/ classificateur												
能	néng	能	能	能	能	能	能	能	能	能	能	能
pouvoir, être capable de												
常	cháng	常	常	常	常	常	常	常	常	常	常	常
fréquent, souvent												

3 Observez le premier trait, trouvez l'intrus et entourez-le. Surlignez ensuite les traits brisés puis lisez tous les caractères à voix haute.

完	这	现	学	说	课	为	半	道

第五课

J'écris sous la dictée

4 Écrivez les phrases dictées en caractères en respectant l'ordre et le sens des traits.

朋	友		儿	，				作	业
péng	you		er					zuò	yè
			，						o
							！		

Je maîtrise le vocabulaire

5 Formez des mots à partir des caractères donnés.

a. 书   ☐☐   ☐☐   ☐☐

b. 心   ☐☐

c. 电   ☐☐   ☐☐   ☐☐

d. 闹   ☐☐   ☐☐
    nào

e. 明   ☐☐   ☐☐

f. 同   ☐☐   ☐☐

Je m'entraîne en grammaire

manuel p. 95

6 Faites des phrases avec 一起 en utilisant les éléments donnés.

a. 去买东西，他，妈妈，和

b. 我，做作业，同学，跟
    zuòyè

c. 弟弟，跟，喜欢，他，看电视
   dì   shì

7 Mettez les mots dans le bon ordre pour former une phrase avec sa ponctuation.

a. 房间，在，看，里，他，书

b. 听音乐，一边，东西，一边，吃，他
   yīnyuè

c. 房间，我，白色，的，是，的
             sè

d. 同意，睡觉，跟，我，狗，一起，妈妈，不
   shuìjiào

e. 让，里，东西，我，吃，房间，在，妈妈，不

f. 书桌，所以，在，我，太小，床，我的，上，做作业，因为
   zhuō   chuáng   zuòyè

g. 房间，来，做什么，常常，看，我，奶奶
                              nǎi

第五课

Je m'entraîne à la compréhension de l'écrit

8 Complétez les phrases suivantes à l'aide des mots donnés.

一起，一边……一边，如果……会，因为，所以

a. 他每天下课以后都和同学 ☐ ☐ 回家。

b. 我的书架很重(lourd)，☐ ☐ 上面有很多书。
　　　jià　zhòng

c. ☐ ☐ 明天是星期六，☐ ☐ 我今天可以很晚睡觉。
　　　　　　　　　　　　　　　　　　　　　　　shuìjiào

d. 我的弟弟 ☐ ☐ 吃饭 ☐ ☐ 看电视，☐ ☐ 他吃得
　　　　dì　　　　　　　　　　　　　　shì
很慢。
màn

e. ☐ ☐ 我房间里没有沙发，我哥哥不 ☐ 来我的房间 ☐
　　　　　　　　　　　　shāfā　gē

☐ 吃饭 ☐ ☐ 看电视。

9 Lisez le texte suivant puis répondez aux questions en français :

我最好的朋友有一间很好看的新房间。我觉得她的房间很好看，
是粉红色的和白色的。里面有一张大床，一张桌子，还有两张椅子，
　fěn　　　　　　　　　　zhāng chuáng　　　zhuō　　　　　　　　yǐ
都是白色的。因为她的房间不小，所以她有一个沙发，是红色的。她
　　　　　　　　　　　　　　　　　　　　　　　　shāfā
很喜欢这个沙发，因为她在上面可以听音乐、看书、上网和朋友聊
　　　　　　　　　　　　　　　　tīng yīnyuè　　　　　wǎng　　　liáo
天，有时也在沙发上做作业。房间的左边有一个衣柜，右边有两个
　　　　　　　　　　zuòyè　　　　　　　　　　　yīguì
书架，因为她的书很多。她每天晚上都看书。
jià

a. Quelles sont les couleurs citées dans le texte ? À quoi se rapportent-elles ?

....

b. Citez tous les meubles de la chambre en précisant leur nombre.

....

c. Quel meuble aime-t-elle beaucoup ? Précisez pourquoi.

....

d. Citez deux expressions de la fréquence qui apparaissent dans le texte.

....

e. Relevez tous les locatifs de la description.

....

Je m'entraîne à l'expression écrite

10 Répondez aux questions suivantes qui vous concernent.

a. 你家有没有闹钟？它怎么样？
　　　　nàozhōng

b. 你喜欢听收音机吗？为什么？
　　　　shōuyīn

c. 你爸爸妈妈让你一边看电视一边做作业吗？为什么？
　　bà　　　　　　　　shì　　zuòyè

11 Traduisez le texte ci-dessous en chinois.

Ma chambre se trouve à côté de celle de mes parents, en face de la salle de bains ; c'est très pratique car je prends une douche matin et soir.

Ma chambre n'est ni grande ni petite, mais il y a beaucoup de couleurs : du jaune, du vert et aussi du bleu. Il y a beaucoup de photos sur les murs (qiáng) et des affiches de mes idoles. Dans ma chambre, il n'y a pas de téléviseur, car mes parents ne sont pas d'accord.

第五课

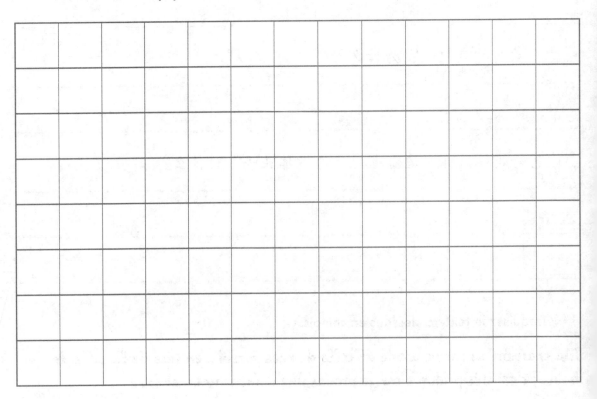

12 Décrivez la chambre de vos rêves en donnant des précisions sur la taille, la couleur, les meubles et l'équipement, la décoration sur les murs, etc.

Phonétique et pinyin

13 Écoutez les mots, puis écrivez-les en pinyin dans la colonne qui correspond à l'initiale entendue.

b	p	z	zh	t	d	q	j	g	k

La mère de 刘伟 entre dans sa chambre, mais elle a une mauvaise surprise. (CD 74)
Liú Wěi
Écoutez et répondez aux questions :

a. Pourquoi est-elle en colère ?

b. Où sont les affaires de 刘伟 ?

c. Que lui répond-il ?

d. À la fin, que décide sa mère ?

Faites la liste des objets et des meubles de votre chambre, puis écrivez un petit texte pour indiquer où ils se trouvent. Donnez-le ensuite à un camarade qui dessine votre chambre selon vos indications.

第五课

Atelier d'écriture

1 Étudiez les éléments composants des caractères pour mieux les retenir.

graphie	pinyin	éléments composants et explications	signification
朋	péng	deux 月 lunes	ami
友	yǒu	ナ une main gauche + 又 une main droite	amitié
爱	ài	⺥ clé de la griffe + 冖 le toit sans point + 友 l'ami	aimer
出	chū	deux 山 montagnes l'une au-dessus de l'autre	sortir
热	rè	扌 la main + 丸 + 灬 clé du feu	chaud
习	xí	idéogramme	s'exercer
问	wèn	口 clé de la bouche + 门 la porte	demander, poser une question
告	gào	牛 le bœuf + 口 clé de la bouche	informer, prévenir
诉	sù	讠 clé de la parole + 斥	dire, informer
外	wài	夕 clé de la demi-lune + 卜 la divination	étranger, extérieur
会	huì	人 clé de l'homme + 云 le nuage	savoir faire quelque chose, être susceptible de
怕	pà	忄 clé du cœur vertical + 白 blanc	avoir peur

2 En respectant l'ordre et le sens des traits, écrivez sur les caractères en grisé puis complétez la deuxième ligne en prononçant le caractère à voix haute.

 Avant de commencer, consultez l'*Introduction à l'écriture chinoise* p. 4-5.

朋	péng	朋	朋	朋	朋	朋	朋	朋	朋	朋	朋	朋
ami												
友	yǒu	友	友	友	友	友	友	友	友	友	友	友
amitié												

爱	ài	爱	爱	爱	爱	爱	爱	爱	爱	爱	爱	爱
aimer												
出	chū	出	出	出	出	出	出	出	出	出	出	出
sortir												
热	rè	热	热	热	热	热	热	热	热	热	热	热
chaud												
习	xí	习	习	习	习	习	习	习	习	习	习	习
s'exercer												
问	wèn	问	问	问	问	问	问	问	问	问	问	问
demander, poser une question												
告	gào	告	告	告	告	告	告	告	告	告	告	告
informer, prévenir												
诉	sù	诉	诉	诉	诉	诉	诉	诉	诉	诉	诉	诉
dire, informer												
外	wài	外	外	外	外	外	外	外	外	外	外	外
étranger, extérieur												
会	huì	会	会	会	会	会	会	会	会	会	会	会
savoir faire, être susceptible de												
怕	pà	怕	怕	怕	怕	怕	怕	怕	怕	怕	怕	怕
avoir peur												

第六课

Je connais les règles d'écriture

3 Créez la grille d'écriture de ce caractère que vous ne connaissez pas en respectant l'ordre et l'orientation des traits. N'oubliez pas les flèches !

Inscrivez ensuite dans la dernière case le nombre de traits du caractère.

春									

4 Vous ne connaissez pas ces caractères. Entourez le cinquième trait de chacun et notez dessous le nombre total de traits. Lesquels ont exactement 10 traits ?

湖	真	街	秋	姓	读	饿

Nombre de traits : ....

5 L'écriture est rigoureuse et un simple trait change tout ! Il arrive que certains caractères se ressemblent, mais ont une prononciation et une signification différentes. Entourez les caractères que vous reconnaissez.

人	大	太	犬	头	天	夫	入	从	众	认

Je connais le vocabulaire

manuel p. 110

6 Attribuez deux qualificatifs à chaque nom.

眼睛 yǎnjing	头发 tóufa	个子	corpulence

7 Écrivez les mots que vous connaissez composés des caractères suivants :

a. 热 ☐☐   ☐☐   b. 明 ☐☐   ☐☐

c. 法 ☐☐   ☐☐   ☐☐

8 Complétez les phrases avec la préposition qui convient.

a. 他 ☐ 学校学中文。
  xiào

b. 我们星期六 ☐ 爸爸的车去买东西。

c. 我每天 ☐ 我朋友上网聊天。
  wǎng liáo

d. ☐ 学校 ☐ 车站不太远。
  zhàn

e. 他怕 ☐ 老师说话。
  lǎoshī

f. 我妈妈不喜欢 ☐ 自行车去看电影。
  zìxíng

9 Traduisez les phrases en utilisant 说 ou 告诉.

a. Ne raconte pas ça à mes parents.

b. Elle dit qu'elle ne viendra pas à l'école aujourd'hui.

c. Il m'a dit qu'il n'aime pas le professeur de lettres.

d. Il raconte qu'il ira probablement en Chine en juin.

e. Il me dit qu'il ira probablement en Chine en juin.

第六课

10 Dans cette longue suite de caractères, séparez les mots par une barre, puis écrivez chaque phrase séparément en ajoutant la ponctuation.

我最好的朋友不太热心所以他的朋友不多可是他很聪明学习很好他告诉我他
_{cōng}
怕老师如果有问题不要跟他们说
_{lǎoshī}

11 Wang Xiaotian a été élu délégué et écrit un e-mail de remerciements à la classe. Lisez-le et répondez en français aux questions.

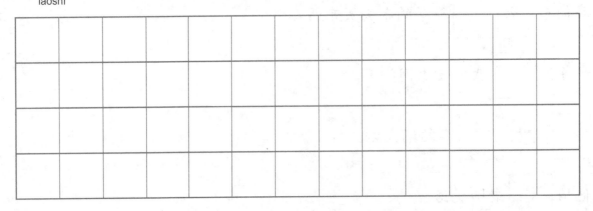

大家好，

今天你们投了我的票，我现在是你们的班长了，谢谢你们！
_{tóu   piào   bānzhǎng   xiè}

我们这个星期五下午有一个活动，是足球比赛*，是我们班和初三
_{huódòng   zúqiú   chū}
四班的比赛。谁想来？请你们写e-mail告诉我。比赛在星期五下午四
_{xiě}
点半，在学校外面。女生们也可以来看看，我们会很开心的！
_{xiào   shēng}

如果你们有别的问题，你们可以来找我，我会听你们的，不要
_{bié   tí   zhǎo}
怕，我不会告诉别人。如果你们不同意老师的看法，就告诉我，我
_{lǎoshī}
会去跟他们说。

你们的新班长　王小天

* 比赛 bǐsài : match

1. Quelle activité propose-t-il ? Donnez tous les détails de sa proposition.

....

....

....

2. Quelles autres propositions fait-il à ses camarades de classe ?

....

....

Je m'entraîne à l'expression écrite

12 Faites une annonce pour vous présenter à l'élection des délégués de classe. Donnez au moins quatre arguments pour convaincre les élèves de voter pour vous.

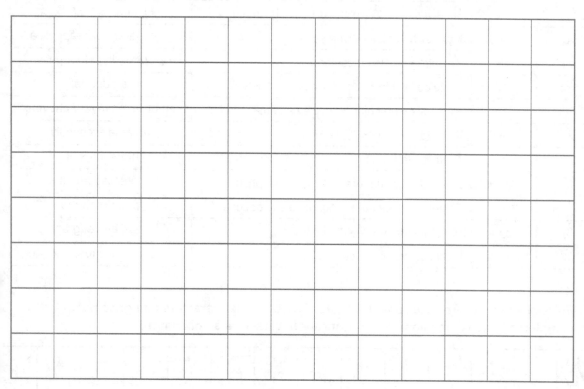

Phonétique et pinyin

13 Écoutez et complétez le pinyin. Donnez ensuite le sens de chaque phrase en français.

a. Xiǎo ....āng gèzi gāo, ...óufa ....uǎn, yǎnjing shì ....ōngsè de.

→ ....

b. Tā hěn ....ōngm............. yě xǐhuan ....āi wánxiào.

→ ....

c. Wǒmen míng.............iān yīq............. chūq............. w..............

→ ....

d. Zhè shì yī ge hěn zh............. yào de w.............t............., wǒ xiǎng zhīdào b.............ren de ....ànf..............

→ ....

第六课

Atelier d'écriture

1 Étudiez les éléments composants des caractères pour mieux les retenir.

graphie	pinyin	éléments composants et explications	signification
先	xiān	un trait descendant vers la gauche + 土 + 儿	d'abord, en premier lieu
然	rán	月 la viande + 犬 le chien + 灬 clé du feu	ceci, ainsi, tel, cf. 然后
比	bǐ	deux 匕 hommes renversés	comparer ; par rapport à
别	bié	另 autre + 刂 clé du couteau	autre ; il ne faut pas
给	gěi	纟 clé de la soie + 合 (八 huit + 一 + 口)	à ; donner
发	fā/fà	deux traits + un point + 又 clé de la main droite	émettre, envoyer / cheveux
男	nán	田 clé du champ + 力 la force	homme ; masculin
就	jiù	京 la capitale + 尤	alors, de suite
馆	guǎn	饣 clé de la nourriture + 官 guān, él. phon.	établissement
少	shǎo	小 petit + un trait descendant vers la gauche	peu nombreux
高	gāo	pictogramme : un bâtiment élevé	haut, élevé, grand
忙	máng	忄 clé du cœur vertical + 亡	occupé

2 En respectant l'ordre et le sens des traits, écrivez sur les caractères en grisé puis complétez la deuxième ligne en prononçant le caractère à voix haute.

先	xiān	先	先	先	先	先	先	先	先	先	先	先	先
d'abord, en premier lieu													
然	rán	然	然	然	然	然	然	然	然	然	然	然	然
cf. 然后													
比	bǐ	比	比	比	比	比	比	比	比	比	比	比	比
comparer ; par rapport à													
别	bié	别	别	别	别	别	别	别	别	别	别	别	别
autre ; il ne faut pas													

给	gěi	给	给	给	给	给	给	给	给	给	给
à, donner											
发	fā/fà	发	发	发	发	发	发	发	发	发	发
émettre, envoyer / cheveux											
男	nán	男	男	男	男	男	男	男	男	男	男
homme ; masculin											
就	jiù	就	就	就	就	就	就	就	就	就	就
alors de suite											
馆	guǎn	馆	馆	馆	馆	馆	馆	馆	馆	馆	馆
établisse-ment											
少	shǎo	少	少	少	少	少	少	少	少	少	少
peu nombreux											
高	gāo	高	高	高	高	高	高	高	高	高	高
haut, élevé, grand											
忙	máng	忙	忙	忙	忙	忙	忙	忙	忙	忙	忙
occupé											

3 Devinette : de quel caractère s'agit-il ?

半朋半友 []

第六课

🎧 J'écris sous la dictée

4 Écrivez les phrases dictées en caractères en respectant l'ordre et le sens des traits.

									儿
				儿	。				

Je connais le vocabulaire

manuel p. 110-111

5 Citez de mémoire douze mots que vous connaissez et qui peuvent s'utiliser avec 很, en commençant par ceux qui apparaissent dans cette leçon.

6 Citez six mots ayant trait à la nourriture :

Citez quatre mots ayant trait au cinéma :

CINÉMA

7 Faites cinq phrases à partir des dessins ci-dessous en utilisant le comparatif de supériorité 比.

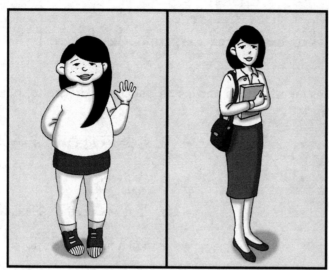

以前   现在   qúnzi : jupe

8 Écrivez deux questions et deux affirmations en utilisant 或者 ou 还是.

a. question :

b. affirmation :

c. question :

第六课

c. affirmation :

Je m'entraîne à la compréhension de l'écrit

9 Reconstituez les phrases en reliant les parties de gauche et de droite, puis réécrivez-les en ajoutant la ponctuation.

1. 他很热心 •

2. 我们先去看电影 •
   yǐng

3. 现在我有男朋友了 •

4. 你们是什么时候 •

5. 他说他很想我 •

6. 你喜欢看喜剧片 •
   jù piān

• a. 可是不想告诉我爸妈

• b. 认识的
   rènshi

• c. 可是不敢给我打电话
   gǎn

• d. 所以他的朋友很多

• e. 还是爱情片
   qíng

• f. 然后去咖啡馆聊天
   kāfēi liáo

Je m'entraîne à l'expression écrite

10 Racontez une sortie entre amis en utilisant obligatoirement les mots suivants :

先，然后，周末，没空，冰淇淋，恐怖片，咖啡馆，逛街，忙，发短信，
      zhōumò   kòng   bīngqílín   kǒngbù piān   kāfēi   guàngjiē   duǎnxìn

Phonétique et pinyin

11 Écoutez l'enregistrement et complétez le pinyin. Donnez ensuite le sens des phrases en français.

a. Wǒ x_____xí hěn m_____, méi k_____án l_____'ài.

→ ....

b. Wǒ ài _____ī xī_____ān de sh_____t_____.

→ ....

c. Wǒ měi ge zh_____m_____ dōu hé nánp_____you g_____jiē.

→ ....

d. Wǒ bù g_____ gěi tā f_____ d_____x_____.

→ ....

第六课

Atelier d'écriture

1 Étudiez les éléments composants des caractères pour mieux les retenir.

graphie	pinyin	éléments composants et explications	signification
自	zì	pictogramme : représentation du nez	soi-même
难	nán	又 clé de la main droite + 隹 l'oiseau à queue courte	difficile
过	guò	寸 le pouce + 辶 clé de la marche rapide	passer, traverser
事	shì	一 + 口 + ヨ + 亅	affaire, événement
情	qíng	忄 clé du cœur vertical + 青 qīng, él. phon.	situation, état, sentiment
样	yàng	木 clé du bois + 羊 yáng, él. phon.	apparence, façon, sorte
气	qì	pictogramme : trois couches de vapeur qui s'élèvent	souffle, air, énergie
生	shēng	pictogramme : une plante qui sort du sol	naître ; élève
重	zhòng	homme portant un sac lourd	lourd
关	guān	ヽノ deux points + 天	avoir rapport à, fermer

2 En respectant l'ordre et le sens des traits, écrivez sur les caractères en grisé puis complétez la deuxième ligne en prononçant le caractère à voix haute.

自	zì	自 自 自 自 自 自 自 自 自 自 自
soi-même		
难	nán	难 难 难 难 难 难 难 难 难 难
difficile		
过	guò	过 过 过 过 过 过 过 过 过 过
passer, traverser		
事	shì	事 事 事 事 事 事 事 事 事 事
affaire, événement		

情	qíng	情	情	情	情	情	情	情	情	情	情
situation, état, sentiment											
样	yàng	样	样	样	样	样	样	样	样	样	样
apparence, façon, sorte											
气	qì	气	气	气	气	气	气	气	气	气	气
souffle, air, énergie											
生	shēng	生	生	生	生	生	生	生	生	生	生
naître ; élève											
重	zhòng	重	重	重	重	重	重	重	重	重	重
lourd											
关	guān	关	关	关	关	关	关	关	关	关	关
avoir rapport à, fermer											

3) Combinez les éléments composants entre eux afin de former un maximum de caractères.

亻　口　禾　口　木　女　夕　氵　门　玉　子　山
日　月　心　目　去　也　羊

4) Devinette : de quel caractère s'agit-il ?

山上有山 ☐

Écrire sous la dictée

5 Écrivez les phrases dictées en caractères en respectant l'ordre et le sens des traits.

								,	但 dàn
									吵 chǎo
架 jià	。	吵	架						。

Je connais le vocabulaire

manuel p. 111

6 Retrouvez dans cette leçon les mots et les expressions ci-dessous en chinois :

a. tomber malade

b. relation

c. passion, hobby

d. week-end

e. flirter

f. souci

g. film d'horreur

h. se réconcilier

i. célébrer un anniversaire

7 Citez des noms ou des verbes qui relèvent du caractère ou de l'état d'esprit d'une personne.

a.

c.

e.

b.

d.

f.

8 Trouvez le mot ou l'expression en chinois qui correspond à chaque définition.

a. 喜欢帮助朋友
bāngzhù

b. 喜欢学习

c. 懂得很快 (vite) ⬚⬚
　　dǒng　kuài

d. 不喜欢给别人东西 ⬚⬚

e. 喜欢让别人笑 ⬚⬚⬚
　　　　　　xiào

f. 不开心 ⬚⬚

Je m'entraîne en grammaire

manuel p. 113

9 Faites trois phrases en utilisant la structure « déterminant 的 déterminé » avec les groupes de mots donnés, d'après le modèle : 她最喜欢看的书是小说。

a. 我，最喜欢，看，电影，爱情片，的，是
　　　　　　　　yǐng　　piān

⬚⬚⬚⬚⬚⬚⬚⬚⬚⬚⬚⬚⬚

b. 她，买，桌子，是，白色的，的
　　　　zhuō

⬚⬚⬚⬚⬚⬚⬚⬚⬚⬚⬚⬚⬚

c. 我们，说，事，不告诉，爸爸妈妈，的

⬚⬚⬚⬚⬚⬚⬚⬚⬚⬚⬚⬚⬚

10 Trouvez le déterminé qui manque dans chaque phrase en utilisant un mot différent à chaque fois.

a. 她喜欢她住的 ⬚⬚ 。

b. 我常常去的 ⬚⬚ 很近。

c. 我住的 ⬚⬚ 很热闹。
　　　　　　　nao

d. 他最喜欢买的 ⬚ 是漫画 (BD)。
　　　　　　　　　　mànhuà

f. 他最不喜欢做的 ⬚⬚ 是打网球。
　　　　　　　　　　　　wǎngqiú

第六课

11 Traduisez les phrases suivantes en chinois.

a. Je trouve que ton stylo rouge est très beau ; tu me le donnes, d'accord ?

b. Il téléphone à mon ami chinois.

c. Elle ne veut pas lui acheter un cadeau d'anniversaire.

d. Je te donne quelques minutes pour réfléchir (想想).

e. Tous les soirs mon père nous fait à manger.

Je m'entraîne à la compréhension de l'écrit

12 Associez chaque phrase en français à sa version chinoise.

a. Elle dit qu'il ne faut pas avertir ses parents, car ils ne seraient pas contents.

b. Les livres qu'elle a achetés récemment sont tous des romans.

c. Son ami est plus triste qu'elle.

d. Elle téléphone à son petit ami tous les jours.

e. Nous allons d'abord manger au restaurant puis nous irons au cinéma.

1. 她每天都给她男朋友打电话。

2. 她最近买的书都是小说。

3. 她说不要告诉她的爸爸妈妈，因为他们会不开心。

4. 我们先去饭馆吃饭，然后去看电影。
yǐng

5. 她的朋友比她难过。

13 Lisez les messages postés par des jeunes sur un forum, puis répondez aux questions en français.

a. Quelle est la cause de la dispute ? ....

b. Qu'a fait celle qui s'est fâchée ? ....

c. Que lui conseillent ses correspondants ? ....

....

问题：我跟好朋友吵架了，我想跟她和好，我怎么办¹？
chǎojià

回复1：你们为什么吵架？

回复2：因为很小的事情。上课的时候我跟她说话，她觉得我不用功，她现在跟别人说我的坏话²。我想跟她和好，怎么办？
gōng

回复3：不用做什么。这是小事，过几天就好了。

回复4：你们都有错³。你和她聊一聊，告诉她，你知道错了，
liáo
上课聊天不好，可是你还是想和她做朋友。她不应该说你坏话。如果她不想和好，那不是真⁴的好朋友。

1. 怎么办 bàn : comment faire ? ; 2. 坏 huài 话 : méchanceté ; 3. 错 cuò : avoir tort ; 4. 真 zhēn : vrai

Je m'entraîne à l'expression écrite

14 Préparez dix questions à poser à un correspondant chinois pour mieux le connaître (physique, caractère, activités, ...).

第六课

<table>
<tr><td></td><td></td><td></td><td></td><td></td><td></td><td></td><td></td><td></td><td></td><td></td><td></td></tr>
<tr><td></td><td></td><td></td><td></td><td></td><td></td><td></td><td></td><td></td><td></td><td></td><td></td></tr>
<tr><td></td><td></td><td></td><td></td><td></td><td></td><td></td><td></td><td></td><td></td><td></td><td></td></tr>
<tr><td></td><td></td><td></td><td></td><td></td><td></td><td></td><td></td><td></td><td></td><td></td><td></td></tr>
<tr><td></td><td></td><td></td><td></td><td></td><td></td><td></td><td></td><td></td><td></td><td></td><td></td></tr>
<tr><td></td><td></td><td></td><td></td><td></td><td></td><td></td><td></td><td></td><td></td><td></td><td></td></tr>
<tr><td></td><td></td><td></td><td></td><td></td><td></td><td></td><td></td><td></td><td></td><td></td><td></td></tr>
</table>

15 Décrivez l'ami(e) de vos rêves : parlez des qualités idéales qu'il/elle devrait avoir, de ce que vous aimeriez faire avec lui/elle et ce dont vous parleriez ensemble.
N'oubliez pas d'évoquer son âge, sa classe, ses hobbies, son apparence physique, etc. Utilisez la forme négative si besoin et employez au moins quatre qualificatifs pour décrire sa personnalité.

➥ Photocopiez et utilisez la grille d'écriture p. 114 pour votre rédaction.

🎧 Phonétique et pinyin

16 Écoutez et complétez le pinyin. Donnez ensuite le sens des phrases en français.

a.   N_____péngyou g_____shēng_____i yào g_____ lǐw_____, bù n_____ tài x_____ q_____.

→ ....

b.   Tā de _____uēd_____ hěn d_____, bǐ_____ú_____áng_____áng fāh_____ yě hěn z_____ s_____.

→ ....

c.   Tā _____īn_____iān hěn nán_____uò, yǒu _____īn_____i.

→ ....

d.   Tāmen ch_____ wán _____ià y_____h_____, m_____ shàng h_____h_____ le.

→ ....

Un élève se présente à l'élection des délégués de classe et ses camarades lui posent des questions. Quelles solutions propose-t-il pour les 4 questions soulevées ? CD 89

Questions soulevées	Solutions proposées
1	
2	
3	
4	

Écrivez un petit texte pour parler des qualités que vous recherchez chez un ami et citez les défauts que vous n'aimez pas du tout.

第六课

Grille pour s'entrainer

Dictionnaire français-chinois

A

à (lieu) ; se trouver à	zài	在
à (quelqu'un) ; donner	gěi	给
à (vélo, moto, cheval)	qí	骑
à, jusqu'à	dào	到
à côté	pángbiān	旁边
acheter	mǎi	买
activité	huódòng	活动
affaire, chose	shìqing	事情
affamé	è	饿
affiche, poster	hǎibào	海报
agréable, confortable	shūfu	舒服
aider	bāngzhù	帮助
aimer	xǐhuan, ài	喜欢，爱
aîné	lǎodà	老大
aller	qù	去
aller à l'école	shàngxué	上学
aller chercher	jiē	接
allumer une lampe	kāidēng	开灯
ami	péngyou	朋友
amour	àiqíng	爱情
amusant	hǎowánr	好玩儿
(s')amuser	wán(r)	玩(儿)
an (âge)	suì	岁
ancien, vieux	jiù	旧
anglais	yīngyǔ	英语
animé	rènao	热闹
année	nián	年
anniversaire	shēngrì	生日
(s')appeler	jiào	叫
apprendre	xué	学
après	yǐhòu	以后
après-midi	xiàwǔ	下午
armoire	yīguì	衣柜
arriver	dào	到
arriver en retard	chídào	迟到
aspect, forme	xíngzhuàng	形状
asseyez-vous	qǐngzuò	请坐
(s')assoir	zuòxià	坐下
au revoir	zàijiàn	再见
au revoir les élèves	tóngxuémen zàijiàn	同学们再见
au revoir professeur	lǎoshī zàijiàn	老师再见
aujourd'hui	jīntiān	今天
aussi	yě	也

B

autographe	qiānmíng	签名
avare, mesquin	xiǎoqì	小气
avec, au moyen de	yòng	用
avec quelqu'un	gēn	跟
avis, idée	xiǎngfa	想法
avoir	yǒu	有

balayer	dǎsǎo	打扫
bande dessinée	mànhuà	漫画
basket	lánqiú	篮球
bavarder	liáotiān	聊天
beau	shuài	帅
beau, joli	piàoliang, hǎokàn	漂亮，好看
(avoir) besoin	xūyào	需要
bibliothèque	shūjià	书架
blanc	báisè	白色
bleu	lánsè	蓝色
bonjour	nǐhǎo	你好
bonjour (pluriel)	nǐmen hǎo	你们好
bonjour les élèves	tóngxuémen hǎo	同学们好
bonjour professeur	lǎoshī hǎo	老师好
(se) brosser les dents	shuāyá	刷牙
bruyant	chǎo	吵
bureau	shūzhuō	书桌
bus	gōngjiāochē	公交车

C

c'est	zhè shì	这是
ça peut aller	hái kěyǐ	还可以
cadeau	lǐwù	礼物
café (lieu)	kāfēiguǎn	咖啡馆
cahier	běnzi	本子
cahier d'activités	liànxíběn	练习本
calme	ānjìng	安静
camarade, élève	tóngxué	同学
canapé	shāfā	沙发
caractère	xìnggé	性格
caractère chinois	hànzì	汉字
cartable	shūbāo	书包
célébrer un anniversaire	guò shēngrì	过生日

centre-ville	shìzhōngxīn	市中心
chaise	yǐzi	椅子
chaleureux	rèxīn	热心
chambre, pièce	fángjiān	房间
chaque	měi	每
chat	māo	猫
cheveux	tóufa	头发
chien	gǒu	狗
Chine	Zhōngguó	中国
chinois (langue)	zhōngwén	中文
choisir	xuǎn	选
chose, affaire	shìqing	事情
chose, objet	dōngxi	东西
cinéma (salle)	diànyǐngyuàn	电影院
cinq	wǔ	五
ciseaux	jiǎndāo	剪刀
cl. appareil, machine	tái	台
cl. fleur	duǒ	朵
cl. individu, chose	gè	个
cl. lampe	zhǎn	盏
cl. lit, table, chaise	zhāng	张
cl. membre de la famille	kǒu	口
cl. peinture, dessin	fú	幅
cl. poulet, chien, chat	zhī	只
classe	bān	班
classe de 3ème	chūsān	初三
collège/lycée	zhōngxué	中学
collégien/lycéen	zhōngxué-shēng	中学生
combien ?	jǐ	几?
combien de temps ?	duō cháng shíjiān	多长时间?
comédie	xǐjù piān	喜剧片
comment ?	zěnme, zěnmeyàng	怎么, 怎么样?
comparer	bǐjiào	比较
confortable, agréable	shūfu	舒服
connaître	rènshi	认识
console de jeux vidéo	yóuxìjī	游戏机
content	kāixīn	开心
continuer	jìxù	继续
cool	kù	酷
couleur	yánsè	颜色
(avoir) cours	(shàng) kè	(上)课
court	duǎn	短
crayon à papier	qiānbǐ	铅笔
cuisine (pièce)	chúfáng	厨房
cuisine chinoise	zhōngcān	中餐
cuisine occidentale	xīcān	西餐

D

d'abord	xiān	先
(être) d'accord	tóngyì	同意
d'autres personnes	biéren	别人
d'ordinaire, en général	yībān	一般
d'une part… d'autre part	yībiān… yībiān	一边……一边
dans	lǐmiàn	里面
danser	tiàowǔ	跳舞
de, depuis	cóng	从
décider	juédìng	决定
défaut	quēdiǎn	缺点
déjeuner	wǔfàn	午饭
délégué de classe	bānzhǎng	班长
demain	míngtiān	明天
demander	wèn	问
déménager	bānjiā	搬家
demi	bàn	半
dépenser	huā	花
derrière	hòumiàn	后面
dessin, peinture	huà	画
dessus, sur	shàngmian	上面
détester qch	tǎoyàn	讨厌
deux	èr, liǎng	二, 两
deuxièmement	dì'èr	第二
devant	qiánmiàn	前面
devoir (à la maison)	zuòyè	作业
difficile	nán	难
dimanche	xīngqītiān/rì	星期天/日
dîner	wǎnfàn	晚饭
dire	gàosu	告诉
(se) disputer	chǎojià	吵架
distant de	lí	离
diviser	fēn	分
dix	shí	十
donc	suǒyǐ	所以
donner ; à	gěi	给
dormir	shuìjiào	睡觉
droite	yòubian	右边

E

école	xuéxiào	学校
écouter	tīng	听
écouter de la musique	tīng yīnyuè	听音乐
écrire	xiě	写
égoïste	zìsī	自私
élève, camarade	tóngxué	同学

elle, lui	tā	她
elle, lui (objet, animal)	tā	它
emploi du temps	kèbiǎo	课表
en (voiture, bus, métro, train)	zuò	坐
en désordre	luàn	乱
en face	duìmiàn	对面
en général, d'ordinaire	yìbān	一般
encore	hái	还
endroit, lieu	dìfang	地方
enfant	háizi	孩子
enfant unique	dúshēng zǐnǚ	独生子女
ennuyeux	wúliáo	无聊
enregistrement	lùyīn	录音
ensemble	yìqǐ	一起
ensuite	ránhòu	然后
entrer	jìnmén	进门
(avoir) envie de	xiǎng	想
environs	fùjìn	附近
envoyer	fā	发
et	hé	和
et toi ?	nǐ ne	你呢?
être (métier, fonction)	dāng	当
être susceptible de… (probabilité)	huì	会
étude (après les cours)	zìxí	自习
étudier	xuéxí	学习
extérieur	wàimiàn	外面

F

(se) fâcher	fāhuǒ	发火
faire	zuò	做
faire des courses	mǎi dōngxi	买东西
faire du sport	zuò yùndòng	做运动
faire faire	ràng	让
faire les magasins	guàngjiē	逛街
faire ses devoirs	zuò zuòyè	做作业
faire une sieste	shuì wǔjiào	睡午觉
falloir, vouloir	yào	要
famille, maison	jiā	家
fatigué	lèi	累
fenêtre	chuānghu	窗户
fermer la porte	guānmén	关门
fête, party, soirée	pàiduì	派对
film	diànyǐng	电影
film d'amour	àiqíng piān	爱情片
film d'horreur	kǒngbù piān	恐怖片
finir	wán	完

fleur	huā	花
flirter	tán liàn'ài	谈恋爱
football	zúqiú	足球
forme, aspect	xíngzhuàng	形状
français (langue)	fǎyǔ	法语
frapper	dǎ	打
frères et sœurs	xiōngdì-jiěmèi	兄弟姐妹
frite	shǔtiáo	薯条
froid	lěng	冷

G

garçon	nánshēng	男生
gare, station	chēzhàn	车站
gare ferroviaire	huǒchēzhàn	火车站
gauche	zuǒbian	左边
glace	bīngqilín	冰淇淋
gomme	xiàngpí	橡皮
grand (âge)	dà	大
grand (taille), haut	gāo	高
grand frère	gēge	哥哥
grand-mère paternelle	nǎinai	奶奶
grand-père paternel	yéye	爷爷
grande sœur	jiějie	姐姐
gris	huīsè	灰色
gros	pàng	胖
guitare	jíta	吉他
gymnastique matinale	zǎocāo	早操

H

habiter à	zhù zài	住在
hamburger	hànbǎobāo	汉堡包
haut, grand	gāo	高
heure	diǎn	点
hier	zuótiān	昨天
histoire	lìshǐ	历史
hobby, passion	àihào	爱好
huit	bā	八

I

idée, avis	xiǎngfa	想法
identique, pareil	yíyàng	一样
idole	ǒuxiàng	偶像
il, lui	tā	他
il, lui (objet, animal)	tā	它
important	zhòngyào	重要
inintéressant	méi yìsi	没意思
intelligent	cōngmíng	聪明

intéressant	yǒu yìsi	有意思
inviter	qǐng	请

J

jardin	huāyuán	花园
jaune	huángsè	黄色
je, moi	wǒ	我
jeu (vidéo)	yóuxì	游戏
joli, beau	hǎokàn, piàoliang	好看，漂亮
jouer à l'ordinateur	wán diànnǎo	玩电脑
jouer à un jeu (vidéo)	wán yóuxì	玩游戏
jouer au basket	dǎ lánqiú	打篮球
jouer au football	tī zúqiú	踢足球
jouer au tennis	dǎ wǎngqiú	打网球
jouer de la guitare	tán jítā	弹吉他
journée	tiān	天
joyeux	kuàilè	快乐
jusqu'à, à	dào	到

L

là-bas	nàr	那儿
laisser, faire faire	ràng	让
lampe	dēng	灯
lampe de bureau	táidēng	台灯
langue chinoise	hànyǔ	汉语
laver	xǐ	洗
(se) laver	xǐzǎo	洗澡
(se) laver le visage	xǐliǎn	洗脸
le plus	zuì	最
lent	màn	慢
lettres, littérature	yǔwén	语文
(se) lever du lit	qǐchuáng	起床
lever la main	jǔshǒu	举手
levez-vous, se lever	qǐlì	起立
lieu, endroit	dìfang	地方
lire	kànshū, dú	看书，读
lit	chuáng	床
livre	shū	书
livre de classe, manuel	kèběn	课本
loin	yuǎn	远
long	cháng	长
lumineux	míngliàng	明亮
lundi	xīngqīyī	星期一
lycée/collège	zhōngxué	中学
lycéen/collégien	zhōngxué-shēng	中学生

M

magasin	shāngdiàn	商店
maintenant	xiànzài	现在
mais	kěshì	可是
maison	fángzi, jiā	房子，家
maman	māma	妈妈
manger	chī, chīfàn	吃，吃饭
manquer	chà	差
manuel	kèběn	课本
(se) maquiller	huàzhuāng	化妆
marcher	zǒulù	走路
mardi	xīngqǐʼèr	星期二
marron	zōngsè	棕色
mathématiques	shùxué	数学
matin	zǎoshang	早上
matinée	shàngwǔ	上午
(en) même temps	yībiān…yībiān	一边……一边
mentir	shuōhuǎng	说谎
merci	xièxie	谢谢
mercredi	xīngqīsān	星期三
mètre	mǐ	米
métro	dìtiě	地铁
(se) mettre en colère	shēngqì	生气
meuble	jiājù	家具
midi	zhōngwǔ	中午
mince	shòu	瘦
minute	fēn(zhōng)	分(钟)
moment	shíhou	时候
moto	mótuōchē	摩托车
mur	qiáng	墙
musique	yīnyuè	音乐

N

nager	yóuyǒng	游泳
ne pas	bù	不
ne pas avoir	méiyǒu	没有
ne pas avoir le temps	méi kòng	没空
ne pas comprendre	tīngbudǒng	听不懂
ne pas voir	kànbujiàn	看不见
nécessiter	xūyào	需要
nettoyage ; nettoyer	dǎsǎo	打扫
neuf (chiffre)	jiǔ	九
neuf, nouveau	xīn	新
noir	hēisè	黑色
nom de famille	Fāng	方
nom de famille	Tián	田
nom de famille	Wáng	王
nombreux	duō	多

(se) nommer	xìng	姓
nourriture, riz	fàn	饭
nouveau, neuf	xīn	新
nuit	yèli	夜里

O

objet, chose	dōngxi	东西
occupé	máng	忙
œil	yǎnjing	眼睛
opinion, point de vue	kànfa	看法
ordinateur	diànnǎo	电脑
organiser	zǔzhī	组织
oser	gǎn	敢
ou bien	huòzhě	或者
ou bien ?	háishi	还是
où ?	nǎr	哪儿?
oublier	wàngjì	忘记

P

papa	bàba	爸爸
papier	zhǐ	纸
par (passif)	bèi	被
par conséquent, donc	suǒyǐ	所以
par exemple	bǐrú	比如
par rapport à	bǐ	比
parc	gōngyuán	公园
parce que	yīnwèi	因为
pardon	duìbuqǐ	对不起
pareil, identique	yīyàng	一样
parfois	yǒushí(hou)	有时(候)
particule interrogative	ma	吗?
pas souvent	bùcháng	不常
passion, hobby	àihào	爱好
peinture, dessin	huà	画
penser à	xiǎng	想
personne	rén	人
petit	xiǎo	小
petit ami	nánpéngyou	男朋友
petit déjeuner	zǎofàn	早饭
petit frère	dìdi	弟弟
petite amie	nǚpéngyou	女朋友
petite sœur	mèimei	妹妹
peu importe	méi guānxi	没关系
(avoir) peur de	pà	怕
photo	zhàopiàn	照片
pièce, chambre	fángjiān	房间
ping-pong	pīngpāngqiú	乒乓球
piscine	yóuyǒngchí	游泳池

pizza	pīsà	披萨
plaisanter	kāi wánxiào	开玩笑
point	fēn	分
point de vue, opinion	kànfa	看法
porte	mén	门
poster, affiche	hǎibào	海报
pourquoi ?	wèishénme	为什么?
pouvoir	kěyǐ, néng	可以，能
pratique	fāngbiàn	方便
premièrement	dìyī	第一
prendre, saisir	ná	拿
prénom, nom	míngzi	名字
problème, question	wèntí	问题
proche	jìn	近
professeur	lǎoshī	老师

Q

quand	de shíhou	的时候
quand ?	shénme shíhou	什么时候?
quart d'heure	kè	刻
quartier	xiǎoqū	小区
quatre	sì	四
quel âge ?	duō dà	多大?
(de) quel genre ?	shénmeyàng	什么样?
quel jour de la semaine ?	xīngqī jǐ	星期几?
quelle heure ?	jǐdiǎn	几点?
question, problème	wèntí	问题
qui ?	shéi	谁?
quitter l'école	fàngxué	放学
quoi ?	shénme	什么?

R

(poste de) radio	shōuyīnjī	收音机
(se) réconcilier	héhǎo	和好
regarder	kàn	看
regarder la télévision	kàn diànshì	看电视
regarder un film	kàn diànyǐng	看电影
règle	chǐzi	尺子
relation	guānxi	关系
relativement	bǐjiào	比较
rendez-vous	yuēhuì	约会
rentrer à la maison	huíjiā	回家
restaurant	fànguǎn	饭馆
retourner	huíqu	回去
réveil	nàozhōng	闹钟

Français	Pinyin	汉字
revenir	huílai	回来
riz, nourriture	fàn	饭
roman	xiǎoshuō	小说
rose	fěnhóngsè	粉红色
rouge	hóngsè	红色
rue	jiē	街

S

Français	Pinyin	汉字
salle de bains	yùshì	浴室
salon	kètīng	客厅
savoir	zhīdào	知道
semaine	xīngqī	星期
sept	qī	七
seul	yī ge rén	一个人
seulement	zhǐ	只
sévère	xiōng	凶
si (hypothèse)	rúguǒ	如果
six	liù	六
soi-même, personnel	zìjǐ	自己
soir	wǎnshang	晚上
sortir	chūlai, chūqu	出来，出去
souci	xīnshi	心事
souvent	chángcháng	常常
sport	yùndòng, tǐyù	运动，体育
star, vedette	míngxīng	明星
station, gare	chēzhàn	车站
station de bus	gōngjiāo- chēzhàn	公交车站
studieux	yònggōng	用功
stylo, crayon	bǐ	笔
stylo à bille	yuánzhūbǐ	圆珠笔
stylo plume	gāngbǐ	钢笔
super	bàng	棒
supermarché	chāoshì	超市
sur, dessus	shàngmiàn	上面
surfer sur internet	shàngwǎng	上网

T

Français	Pinyin	汉字
table	zhuōzi	桌子
tableau noir	hēibǎn	黑板
taille	gèzi	个子
tard	wǎn	晚
téléphone	diànhuà	电话

Français	Pinyin	汉字
téléphone portable	shǒujī	手机
téléphoner	dǎ diànhuà	打电话
téléviseur	diànshìjī	电视机
temps	shíjiān	时间
(avoir le) temps	yǒu kòng	有空
tennis	wǎngqiú	网球
terminer un cours	xiàkè	下课
texto	duǎnxìn	短信
toilettes	cèsuǒ	厕所
tomber malade	shēngbìng	生病
tôt	zǎo	早
tout de suite	mǎshàng	马上
train	huǒchē	火车
transcription phonétique	pīnyīn	拼音
très	hěn, fēicháng	很，非常
triste	nánguò	难过
trois	sān	三
trop	tài	太
trousse	bǐdài	笔袋
(se) trouver à	zài	在
trouver que	juéde	觉得
tu, toi	nǐ	你

U, V, W

Français	Pinyin	汉字
un (chiffre)	yī	一
utiliser	yòng	用
vedette, star	míngxīng	明星
véhicule	chē	车
vélo	zìxíngchē	自行车
vert	lǜsè	绿色
vide-grenier, braderie	jiùhuò shìchǎng	旧货市场
vieux, ancien	jiù	旧
ville	chéngshì	城市
violet	zǐsè	紫色
visage	liǎn	脸
voiture	xiǎoqìchē	小汽车
voter	tóupiào	投票
vouloir	xiǎng, yào	想，要
vous	nǐmen	你们
vous (politesse)	nín	您
voyager	lǚxíng	旅行
week-end	zhōumò	周末